水中の哲学者たち

永井玲衣

晶文社

装丁
鈴木千佳子

まえがき

いつからか、世界をよく見れるひとになりたいと思うようになった。

それは幅広さというよりも、奥行きの探究への欲求であった。机上に転がるペンを見る、使い古された言葉を見る、向かいに座るあなたを見る、社会の構造を見る。刺しゅう糸をはじめて触ったときのことを思い出す。一本の糸かと思ったものが、何本にもほぐれて息をのむ。世界は刺しゅう糸のように、たくさんの糸でよりあわさっている。一本一本の糸に目をこらすと、それぞれがほんの少しずつ違う色をして、また何本にもほぐれていく。

そうして「見る」をつづけていくと、世界はまた、見えなくなる。当初の相貌からはとおく離れて、よくわからないものになる。ぼやけたり、全くちがったものになったりして、手からすりぬけていく。

哲学をすることは、世界をよく見ることだ。くっきりしたり、ぼやけたり、かたちを変えたりして、少しずつ世界と関係を深めていく。揺さぶられ、混乱し、思考がもつれて、あっちへこっちへ行き来する。これは、朝に目を覚ましたときの感覚に少しだけ似ている。

わたしの朝は、目がなかなか開かない。無理にこじあけるようにして、少しずつ世界が見えてくる。天井のくぼみ、壁紙、変な染み。過去と現在、虚構と現実を行き来して、ゆっくりと世界に自分を見つけていく。

世界に根ざしながら、世界を見ることはいかにして可能だろうか、とよく考える。「見る」ことは、世界を額縁に入れてうんと高い場所に飾ってしまうことでもあり、自分を世界から切り離し傍観することでもある。だがわたしたちは、世界に投げ入れられ、関係し、はたらきかけ、世界を新しくつくりつづけてもいる。

この問いに対する一つの探究が、人々との対話なのかもしれない。様々な場所に出かけていき、問いを立て、人々とその不思議さにおののきながら、考える。世界にはたくさんの他者がいて、ときどきわたしをおびやかす。わたしを危険にさらし、わたしもまた誰かを危険にさらす。

だが、世界を共に見ることもできる。わたしたちにべったりとはりついてしまっている何か、小さな、だが確かにこびりついている何か。それがため息となり、つぶやきとなり、問いとなり、わたしたちをつなぐ。問いは世界の入り口となり、わたしたちはもっと世界と関係する。

問いは、偉大である。もろく小さなわたしでは到底かなわないほどに、堅固で美しい。人々の口からまろび出る問いは、いろいろなかたちをしている。なぜひとは生まれるのでしょうか。大人ってなに。なぜひとの恋人は良さげに見えるのか。わかっちゃいるけど、やめられないのはなぜか。嫉妬はわるい感情なのか。社会を変えるには。ゆるしは必要か。エゴイスティックでない生き方はありえるのか。無ってなに。なんで冬にアイスが食べたくなるの。

人々と問いに取り組み、考える。哲学はこうやって、わたしたちの生と共にありつづけてきた。借り物の問いではない、わたしの問い。ささやかで、切実な呼びかけ。

そんな問いをもとに、世界に根ざしながら世界を見つめて考えることを、わたしは手のひらサイズの哲学と呼ぶ。それは、空高く飛翔し、高みから世界を細断し、整然とまとめあげるような大哲学ではない。なんだかどうもわかりにくく、今にも消えそうな何かであり、あいまいで、とらえどころがなく、過去と現在を行き来し、うねうねとした意識の流れが、そのままもつれた考えに反映されるような、そして寝ぼけた頭で世界に戻ってくるときのような、そんな哲学だ。

そしてこの本は、そんな手のひらサイズの哲学が書かれている。本書もまた、刺しゅう糸のように、たくさんの糸がよりあわさってできている。ほつれているのもあれば、絡まっているのもあるだろう。それをそのまま、書いてしまった。

最近元気が出ないと言ったら、手のひらを陽の光に当てるとよいと友人に教わった。街を歩く途中、手のひらを上に向けて、じっとしてみる。なかなか難儀だなと思う。手のひらは、ほとんどの場合下に向けられているからだ。奇妙に思われたらどうしようということばかり考える。おそるおそる太陽に向けられた手のひらは、ちっぽけで、頼りなげに見えた。

それでもここから考えてみたい。ここからこそ、哲学が始まるとわたしには思えてならないのだ。

水中の哲学者たち
目次

1 水中の哲学者たち

2 手のひらサイズの哲学

3 はい哲学科研究室です

水中の哲学者たち

1

水中の哲学者たち

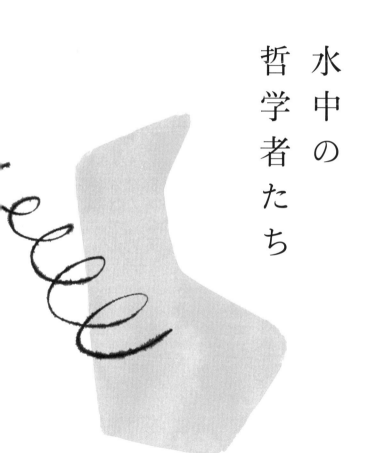

あともう少しで

ネットで注文した商品を開封したら、折りたたまれたつるつるの紙が入っていた。静かにひらいていくと、商品の説明が書いてあり、1行目はこのような文で始まっている。

弊社の製品をご選別においでになって、ようこそいらっしゃいませ。

めちゃくちゃだ。「弊社」というハイレベルな単語が扱えるにもかかわらず、「ご選別においでになって」は、バカな小学生が考えた敬語のようである。「ようこそいらっしゃいませ」に至っては、そう来るか、と思わせるエネルギーを備えている。

だが2行目以降は、何食わぬ顔で、秩序だった文章がつづく。この商品はこんな製品でございます、何かありましたらこちらまでご連絡下さいませ。ところどころ妙な敬語はあるものの、文章はわたしを乗せてなめらかに進む。しかし終わりにさしかかると、再び文はガタガタと揺れ始め、ところどころにぶつかりながらこのように言う。

ご配慮をいただければ、この世界の美しさをさらに信じます。

今後弊社の製品をお使いいただければ幸いです、というような文章を書きたかったのだろうか。それとも全く別の意図があるのだろうか。どうしてこんな文体なのかわからない。わたしは、なんてめちゃくちゃで、ばかばかしくて、美しいんだ、と思った。

世界は一見まともなようで、実はかなりすっとぼけている。

ひとは生まれるけど死にます、とか、地球というものがあって回転しています、とか、わたしが考えていることが誰かに完全に伝わることはありません、とか。いろんな仕方で合理化はできるかもしれないが、よくよく考えてみるとわけがわからないことばかりだ。

たとえば水。高校生の頃、お風呂に入っていて、突然思った。なんだこれは？　水を手ですくって触ってみる。奇妙だ。めちゃくちゃだ。手からするすると水はこぼれ落ちる。意味がわからない。呆然と手を見つめる。いや、ちょっと待って、なんだ手って。なんだこの形は。どういうつもりなのか。見慣れたもの全てがぐにゃりと歪み始める。世界が崩れてしまう。いや、目の前に広がるこのまるごと、世界ってなんだ。なんであるんだ。ある、ってなんだ。答えてくれ、世界。

世界はわたしから目をそらし、すました顔でとぼけている。

おそろしくなったわたしは、どうやらこの奇妙な世界の「正体」が書かれているらしい、哲学書を手に取ってみた。きっと哲学者なら、めちゃくちゃな世界に一発食らわしてくれるだろう。手始めに、サルトルという名前の哲学者が書いた『存在と無』という本をひらいてみる。

存在とはばばばばばびぶぶべべぼ、あるところのものびびびばば、ではないところばばっええじゃややえあくうしたわかちこわかちこ。ぽぽびえばらららりる無、おわあああいいがかのえしすこらぎばばびび、じつぞんしゅぎ。

本を閉じた。脳が爆発してしまう、と思った。

爆発をおそれたわたしは、ほぼ哲学書に手をつけないまま、哲学科に進学することになる。

大学では語学を学んだり、哲学史を勉強したり、がんばって哲学書を読んだりしたが、ある時、先輩に「哲学対話」なるものの会に連れていかれた。

哲学対話とは簡単に言えば、哲学的なテーマについて、ひとと一緒にじっくり考え、聴きあうというものだ。普段当たり前だと思っていることを改めて問い直し、じりじり考えて話してみたり、ひとの考えを聴いてびっくりしたりする。ひとや団体によってさまざまなスタイルがあるが、先輩に連れてこられて以来、いまに至るまでこの活動をつづけている。

哲学対話は場所を選ばない。小学校、美術館、お寺、公民館、路上、会社、カフェ、いろんなところですぐにできる。参加者は誰でもいい。知識も特に必要ではない。自分が思ったことを、自分の言葉で素直に言えばいい。それを馬鹿にするひとは誰もいない。だからといって言いっ放しでもない。誰かの考えと違っていたら、なんで違っているのか、どういうところが違っているのか、本当に違っているのか、考える。あなたがその主張をすることによって、どんな前提をもっているのかを考える。考えて、考えて、いつの間にか対話の時間は終わる。

何かを深く考えることは、しばしば水中に深く潜ることにたとえられる。哲学対話は、ひとと一緒に考えるから、みんなで潜る。哲学対話の参加を重ねたわたしはいつの間にか、ファシリテーターをするようになっていた。だからといってわたしだけが陸にいるわけではない。わたしもまた、一緒に潜り、考える。

哲学対話では、理路整然と自分の考えについて話せるひともたくさんいる。対話のあとで、書いてもらう感想に、しっかりと今日は明確に答えを導きだせました、と記してくれるひともいる。とてもすばらしいことだ。だがわたしは、対話の中でのひとびとの、よどみ、つっかえ、言葉にならなさ、奇怪な論理、わかりづらさに惹かれる。

「約束は守らなければならないのか」というテーマで話したいつかの高校生は、長い時間をかけて、水中でもがくように言葉を絞り出していた。えっと、他者というのは、そのひとがすごく……いや……他者は、他者は、他者だから、尊重しなければならないっていうか、尊重したい……そうだ、でも、尊重するのは他者だからなんです。もたもたと言葉を重ねて、話は遠回りし、関係ないようなことを口走り、いややっぱり違いますごめんなさい、と顔をしかめて、他者は、他者だから、他者だから尊重すべきなんです、と繰り返す。みんなは、え？　どういう意味？　もっかい言って、どういうこと、どういう意味？　と身を乗り出して、彼女と共に考えようとしている。

それを見たわたしはふと思う。昔読んだわけのわからない哲学書。彼は、世界のわけのわからなさを、わからないまま伝えるしかなかったんじゃないか。

だからわたしは愛する。奮闘した結果、わかりづらくなってしまった言葉も、何を意図しているのかすら全くわからなくなってしまった言葉も。わけのわからないへんてこな世界を、純粋にそのままうつしだしているように見えるからだ。彼女のからだや言葉はガラスよりも透き通って、世界をそのままうつしだす。言葉は、世界そのものである。

だが同時に、哲学対話をしているとき、あともう少しで「わかる」ということにたどり着けそうな感覚に陥ることがある。それは「最適解」のような暫定的なものでもなく、「共通合意」というような、その場だけの取り決めでもない。もっと普遍的で、美しくて、圧倒的な何かだ。それに到達するということはない。その予感がするだけ。

にもかかわらず、その予感はひどく甘美で、決定的なのである。

小学校で「夢と現実の違いは？」というテーマで哲学対話をした。子どもたちはあっという間に深く潜って、ああだこうだと議論している。何か答えが出そうになっても、誰かが「いや、こうじゃないか」と言ったり、「でもそれってなんでそうなの」などと言って再吟味されていく。わたしもまた、息をするのも忘れて夢中になる。考えが出ては覆されるが、確実に何かが進んでいる。前進している。だが、終わりの時間は来る。「じゃあ終わりの挨拶をしましょう」と担任の先生が声をかけてくれる。子どもたちはわたしに懇願する。

待って！　もうすこしでわかりそうなのに、待って！　終わらないで!!　おねがい！

世界の正体は彼らのすぐそこに迫っている。だが、次の音楽の授業も迫っている。わたしは苦笑して、まだ深く潜っている何人かを、なんとか陸に引っ張り上げる。また明日も来てね、と女の子が小さな指をわたしの小指にからませて、音楽室へ走っていく。

わたしの授業は1回きりだから、もう彼らに会うことはできない。

「もう少しでわかりそう」という感覚は、「もう少しで思い出せそう」という感覚に似ている。たとえば、誰かの名前を思い出すとき。誰かを指し示す情報が、吸い寄せられるようにこちらへやってきては分散する。それぞれの情景はぼんやりとしていて、うまく見えない。だからなのか、思い出そうとしているひとは、近眼のひとが遠くのものを見ようと目を細めるような、眉間に皺をよせた表情をする。

思い出せない経験はかなりもどかしい。だが、確かに思い出す対象はこの世に存在する。そのことだけが記憶の中で溺れているわたしを励ましてくれる。

何かを思い出そうとするとき、ひとはもどかしさの苦痛に顔をゆがめつつも、その「何か」に、いとおしさを感じている。かつてわたしの中にいて、わたしのものだった「何か」。たまたまそれはどこかへ飛翔してしまったが、たしかにわたしが所有していたのだ。だがもはやそれはひとかけらの姿もわたしには見せてくれない。

その代わりわたしは、それに途方もないなつかしさを感じている。かつてわたしのものであった何か、そしてそれを失ってしまった深いかなしみ。

探究とは、想起することに似ているのだ。

実は同じことを考えた哲学者がいる。

古代ギリシャの哲学者、プラトンである。倫理の授業を受けたことがあるひとは「想起説（アナムネーシス）」という言葉を少しはおぼえているだろうか。アナムネーシス。古代ギリシャ語。まずこの言葉を想起することが難しい。

先日も哲学研究者の先輩が「想起説ってギリシャ語ってなんだっけ」と言ったのに対し「アムネスティですね」と答えてしまった。それは人権問題のNGOだ。「そうだったな」と先輩は言った。適当なものだ。

プラトンを読めばわかるが、想起説とはなかなかドラマチックだ。理論立てもしっかりしていて、わくわくさせられる。だが、わたしが言っているのは、もう少し感覚的なものだろう。

気配。なつかしい、何かを思い出しそうな、ずっとずっと昔に、わたしは「それ」を知っていたような感覚。確かに存在する「それ」の予感。そしてそれがいま手元にないことの喪失感と苦痛。わかったぞ、とそれをつかみ取ったと思っても、後々違うとわかったときの、失望と気恥ずかしさと、可笑しさ。

それは、見上げたはるか遠くのどこかにあるのではなくて、わたしの深いふかい魂の井戸の底に、ぽとりと頼りなく落ちているのかもしれない。


帰宅したアパートで、今日子どもたちと話した「夢と現実の違い」について考える。哲学書が参考になるかもしれない、と本棚から引っ張り出す。やっぱり難しい。がんばって意味を読み取り、自分や誰かが言った考えとぶつけてみる。眉間に皺をよせて、思考の中に潜り込む。誰かの意見と、わたしの考えがうまく溶け合わずに、もたもたとつかみあっている。どっちかが倒れるか、和解して抱きあうかしてほしい。かと思ったら、新しく哲学者が出てきて、つかみ合いに参加しようとしている。困る、これ以上の参加者は。大乱闘だ。

それをなぜか母が見ている。

若かった頃のなつかしい母だ。幼稚園の頃のわたしが好きだった、ベージュのシャツを着て笑っている。誰を応援しているのだろう。

ふと我に返ると、隣の部屋に母がいる気がした。ぼんやりした頭で扉を開けると、汚い食器がそのままの、狭い6畳の部屋がある。母はいない。なつかしさだけが魂に沈んでいる。陽はすっかり傾いて、青みがかった空気が部屋いっぱいに充満している。

まるで水中のようだ。

なんて美しいんだ、とわたしは言った。

飛ぶ

たしか中学生の頃。わたしたちは冷たい体育館の床に座っていた。先生が目の前にある跳び箱をぴっと指さして「永井、見本を見せてくれ」と言った。姿勢良く一番前で座って聞いていたわたしは、さっと立ち上がり、跳ぶ準備をする。

みんなが見守る中、わたしは奇怪に手を振り回し、つんのめりそうになりながら助走をつけ、からだと手を同時に前に出して跳び箱に手をつき、右足を強く打ちつけて、ひっくり返るようにしてマットに倒れ込んだ。別に問題はない。これがわたしの跳躍なのだ。

体育館はしんと静まりかえっている。「大丈夫か」。やっとのことで先生が口をひらく。

わたしはマットに寝っ転がったまま、高い体育館の天井をぼんやり眺めていた。跳躍が失敗したのではない。先生が選ぶのを失敗したのだ、と思った。

わたしは対話がこわかった。

人前で話すこと。他者、時には見知らぬひとの意見をじっと聞くこと。他者に質問されること。ひとと一緒に考えること。他者を傷つけないか、おそれながら話すこと。他者に傷つけられないか、おそれながら聞くこと。

大学に入学して1年目からゼミがあります、と聞いたときに「こんなはずでは」と思った。プラトンの『ソクラテスの弁明』やアウグスティヌスの『告白』、カントの『啓蒙とは何か』が文献に選ばれた。どれも難しかった。授業が始まり、狭い部屋に押し込められた同年代のひとたち。彼らは店員を呼ぶ気軽さで、どんどんと挙手をしていく。誰かの意見に誰かが反応し、あちらでは誰かが反論をしている。どっと笑いが起こる。誰かが、ユーモアたっぷりのエピソードを交えて意見を披露したのだ。先生が嬉しそうに微笑んでいる。みんなは笑い、考え、対話していた。日々は過ぎ、時は流れた。わたしだけがじっと緊張しつづけて、とうとう1年間、ただの一言も発することができなかった。

ゼミだけでなく研究会でも、他の授業でも同じだった。中高時代は、いちばん嫌いな授業は、数学でも英語でも体育でもなく、ホームルームだった。わたしはいつも、石のように押し黙り、この世から自分を消した。黙っているやつほど考えている、と先生たちはよく言うが、わたしは1ミリも思考を前進させることなく、石よりも石になった。

対話をおそれて押し黙っていた学生時代から何年か経ち、いつの間にかわたしは人前で話すことが多くなった。なぜか、哲学的な対話の場をひらくひとになった。今日も小学校に出向き、哲学対話の授業をする。子どもたちに、輪になって座ってとお願いする。ぐるりと輪になると、お互いの顔がわかる。誰かが話しているとき、わたしたちはそのひとの顔をじっと見つめる。時に、それは違うよ、などと否定の声が向けられる。誰かが、誰かの心を傷つけるようなことを言う。別の誰かがむっといやな顔をする。隣のあの子は、授業も3回目だというのに、まだ一度も話さずうつむいている。誰かが一生懸命言った言葉が、誰にも受け止められずに床にどさっと落ちる。対話とは、対話とは、相も変わらずなんと難しいんだろうか。

顔を上げると、教室の後ろのロッカーの上に、子どもたちが授業で書いたであろう習字がびっしりと貼ってあるのが目に入った。

仲間仲間仲間仲間仲間仲間仲間仲間仲間仲間仲間仲間仲間仲間仲間

目がくらむ。仲間とは何だろう。彼らは仲間だろうか、わたしも仲間だろうか。わたしはいまでも、対話がこわい。

ひとと一緒に考えることを仕事にしてるよ、と10代の頃のわたしに言ったら、うんざりした顔をして、なんでそんなことを、と言うだろうか。


大学院生の頃、学会準備のため論文を授業でプレ発表した。サルトルの他者論をベースにした倫理学の論文で、倫理的コミュニケーションのひとつとして「呼びかけ」という概念を提起したのだ。サルトルによれば呼びかけとは、強制や懇願ではない。ある具体的な状況の中で、自らの自由でもって、相手の自由に呼びかけることだ。主にそれは文学、つまり作者と読者の間で起こるものだとサルトルは言っているが、彼は、バスの乗客が遅れて走ってきた男を引っ張り上げる例を挙げてもいる。

バスに跳び乗ろうとする男は、乗客に引っ張り上げてもらうことを求めている。だが、それはあくまで呼びかけであって、相手の自由に委ねている。乗客のほうも、手を差し出すが、それは拒絶される可能性を含んだ上での呼びかけである。互いの自由によって成り立った呼びかけによって2人の手はつながれ、男はバスに跳び乗ることができる。なんだかよくわからない例だが、とにかくわたしはサルトルの「呼びかけ」に関するメモをまとめて下地にし、「承認」や「コミュニケーション」についての、倫理学の論文を書き上げた。

論文の読み上げ発表を終えると、目の前に座っていた先生が厳しい表情をしていることに気づく。出来の悪い論文や発表を強めに叱咤するこわい先生だったので、わたしは思わずごくりと唾を飲み込む。確かに、結論に向かうまでの3章の論理構成はやや不安定だ。承認論の先行研究も不足していたかもしれない。ヘーゲルにも言及したほうがよかったか。

先生が「あのね、永井さん」と言う。静かな声だ。

「このバスの例はあぶないよ」

え、と声をもらす。倫理的に危ういという意味ですか、と聞く前に、先生がつづけて言う。「走ってるバスに跳び乗るのは、あぶない」。あっ、そこなんだ。予想外の反応に「フランスのバスなので……」などよくわからない言い訳をしてしまう。フランスだろうが、東京だろうが、別に危険度は変わらないだろう。だが本番の学会発表も近かったので、まあサルトルが出した単なる具体例だし、と特に直さずにそのまま発表した。

数年後、ある先輩と久しぶりに再会したとき、先輩が「前に永井さんの学会発表聞いたよ」と言ってくれた。彼とは研究領域も近かったので、どうでしたか？　と聞いてみると、先輩が言った。

「あんま覚えてないけど、バスのやつがなんか危ないなって思ったよ」

こいつもか。

バスはただの例だし、わたしの発表の主眼はそこではない。わたしの主張が、バスに跳び乗るどうでもいい例のせいであまり伝わっていない。バス以外のことを覚えていろ。バスのことだけ忘れてくれ。

当時は危険な跳び乗り行為に注目が集まったことに拍子抜けして笑ったが、いま思うと、その危うさも含めて、サルトルの例は他者のコミュニケーションを言い当てているような気がしている。

対話というのはおそろしい行為だ。他者に何かを伝えようとすることは、離れた相手のところまで勢いをつけて跳ぶようなものだ。たっぷりと助走をつけて、勢いよくジャンプしないと相手には届かない。あなたとわたしの間には、大きくて深い隔たりがある。だから、他者に何かを伝えることはリスクでもある。跳躍の失敗は、そのまま転倒を意味する。ということは、他者に何かを伝えようとそもそもしなければ、硬い地面に身体を打ちつけることもない。もしくは、せっかく手を差し伸べてくれた相手を、うっかりバスから引き倒して傷つけてしまうこともない。

バスに向けて走るわたしに、誰が手を差し伸べてくれるだろうか。誰が気づいてくれるだろうか。他者に何かを伝えようとすれば、誤解され、無視され、時には相手を傷つける可能性すら生じるというのに。でも、サルトルの言うようにきっと、それは強制であってはならない。多くのリスクを背負い、あなたの自由を尊重した、呼びかけでなければならない。そして、その呼びかけが完全にあなたに伝わり、そしてあなたの呼びかけもまた、わたしに届くということは、原理的にあり得ない。

他者とわかりあうことはできません、他者に何かを伝えきることはできません、という感覚は、広く共有されているように思う。わかりあうことができないからこそ面白い、とか、他者は異質だからこそ創造的なものが生まれる、とかいう言説もあふれている。その通りだ。その通り。全くもって、完璧に、同意する。だがわたしはあえて言いたい。

それでもなお、わたしはなお、あなたとは完全にわかりあえないということに絶望する。

つい先日、社会人向けの哲学対話で「自由とは何か」をテーマにしたとき、「わたしたちは、できるはずのことができないときに不自由を感じるんです」と言ったひとがいた。だって、わたしたちは、空を飛べないということを、不自由だと言わないでしょう。そもそもできないことを、わたしたちは不自由だと嘆かないんです。

なるほどと思う。となると、他者とわかりあえないことを嘆くわたしは、それができると思っているのかもしれない。だが、他者と完全に通じあうことは、跳ぶどころか、空を飛ぶようなものだ。大きく跳躍することを超えて、空高く飛翔することだ。空を飛ぼうとするわたしは、跳び箱を失敗した中学生のときのように、みんなの前で無様で滑稽に墜落するだろう。冷たい体育館の床に横たわり、高い天井をぼんやり見つめるだろう。

だが、そうだとしてもわかりあおうとしあいたい、とわたしは願う。完全に通じあわなくてもいい。わかりあうことはゴールではない。わかりあうのではない、わかりあおうとしあうこと。互いに空を飛ぶことを夢見ること、それだけでいい。

信頼できるひとに向けてならまだしも、見知らぬひとに向けて飛翔するのは、本当にこわいことだ。無防備で、無謀で、おこがましいことだ。だからこそ、対話はおそろしいものでありつづける。

以前、何かの哲学対話の途中で、ある男性に「対話はぬるい」と言われたことがある。男性は「ぬるいのはやめて、もっとひとと意見をぶつけてはっきりと勝ち負けを決めるべきだ、もっと闘わせるようなものでなければならない」と言った。

ぬるい、ということは、対話は簡単だと思っているのかもしれない。仲間と一緒に、みんな仲良く。そんな響きを聞き取ったのかもしれない。だが本当は、対話とはめちゃくちゃに難しく、時につらいものだと思う。そして、哲学対話は、その難しさに否が応でも直面しなければならない。ひとと考えること、自分の考えを伝えること、ひとの考えを聞くこと、その難しさにめまいを覚えながらつづけなければならない。

勝ち負けを決めるのは簡単だ。こっちのほうがわかりやすいです、とか、論理的、面白い、声が大きい、とか。傷つけあうことが認められた中で、闘うことはもっと楽ちんだ。本当に、簡単だ。

男性はため息をついて「自分はひとと考える、なんてことは好きじゃない」と言った。

わたしはうつむきながら「だから、やるんですよ」とつぶやいた。


1週間が経ち、外部講師をしている小学校に行く時が来た。今日のテーマは、子どもたちがやりたいと言った「ことばはなぜ違うのか」だ。もたもたと準備をしていると、子どもたちにはやく、はやく、と急かされる。彼らはさっさと輪になって座っている。

空いた椅子に腰掛けると、ロッカーの上に貼られていた「仲間」の習字が、全て入れ替わっているのに気づいた。代わりにそこには、「飛ぶ」という字が壁一面に並んでいた。

飛ぶ　飛ぶ　飛ぶ　飛ぶ　飛ぶ　飛ぶ
飛ぶ　飛ぶ　飛ぶ　飛ぶ　飛ぶ　飛ぶ
飛ぶ　飛ぶ　飛ぶ　飛ぶ　飛ぶ　飛ぶ

はやくやろうよ、と子どもたちが話しかける。すでに何人かが挙手をしている。哲学対話を始めたがっている。

彼らはもう飛んでいる。わたしも飛ぶことにしよう。

ガシャン

考えごとをしていると、いろいろな音が聞こえてくる。パキパキパキパキという、考えが組み上がる音。おわああああああんという、果てしない問いを前にして深淵が鳴く音。ばちばちばちという、頭の中で火花が散るように思考が加速する音。

誰かと一緒に考えているときは、もっといろんな音がする。ゴポゴポゴポゴポと、共に深い思考の海に潜っている音。ヒュッと、誰かの鋭い意見が矢となって風を切る音。とりわけ、がっしゃん、と何かが壊れるような音はよく聞こえてくる。繊細なガラスが割れる音というよりは、重い陶器が砕けるような音だ。

誰かが自分の考えを話している。がっしゃん、と音がする。何の音だろう、とわたしは不思議に思う。別の誰かが考えを話し始める。またがっしゃん、と音がする。後ろを振り返るが、特に何かが落ちているわけではない。わたしの頭の中だけで鳴っている音なのだ。目の前のひとが「永井さんは、さっきなんであぁ言ったんですか」と不意に問いを投げかけてくる。どきどきしながら、何とか先ほど自分が言った考えについて説明する。目の前のひとは、うなずいてみせたあと「さらに質問したいんですけど」とわたしに言う。がっしゃん、と音がする。

ひとびとと集まって哲学の時間を持つとき、事前に話すためのルールを設定することが多い。いきなりテーマについて対話を始めてもいいのだが、わたしたちはひとと集まって話すことが苦手である。うまく考えられたとしても、それを適切にひとに伝えたり、話を聞いたりすることが本当に下手だ。考えを闘わせて、誰が一番強いのかを決めることが好きで、ひとと協力して意見を練り上げていくことがとても苦手だ。だからルールを紹介して、会を始めることになる。だが、これは方向付けや制約というよりも、わたしたちが普段いかにうまくコミュニケーションできていないかを思い出すセルフケアの促しでもある。

わたしがよく用いるルールは「よくきく」「自分の言葉で話す」「〈結局ひとそれぞれ〉にしない」である。状況や場合によって「理由を挙げて話す」「変わることをおそれない」

「ゆっくり考える」などが付け加わることもある。

　ある小学校で「死んだらどうなる」というテーマで哲学対話をする。彼らは生まれ変わりについて議論を始め、生まれ変わったと言えるためには、どんな条件が揃っていなければならないか、あーだこーだと言いあっている。

「きく」というのは便利な言葉だ。相手が何を言いたいのかじっと「耳を澄ませる」という意味もあるし、何を言おうとしているのか「尋ねる」という意味も、そして、相手が誰であっても「耳を傾ける」という意味もある。こうして、「話す」ことよりも「きく」ことに集中してみると、ひとの言葉がずるりと直にわたしの中に入ってくるようになる。わたしの奥底に一瞬で入り込んで、わたしの実存をスリリングに脅かす。

　小学生たちは、生きるとは何か、どのように生きるべきかについても言及し始めた。生きて、死んで、そして生まれ変わって、また生きる。そうするには、どのような状況や条件が考えられるのか。議論がゆらゆらと揺れている中、ずっと眉間に皺をよせて考えていたある女の子が、はいと手を挙げた。

「みんなは、生きるということがメインで、そのために死んだり生まれ変わったりするって言っているような気がするんだけど、そもそも、生まれ変わるということ自体が目的で、そのために死んだり生きてるだけだったらどうする？」

それはまったく新しい視点で、そしてわたしも含めて、輪の中の誰も考えたことのない論点だった。彼女の提案は、一見「来世」や「輪廻」のことを言っているようだが、生でも死でもなくその転換自体が目的であるというものだ。ものすごく気持ちがいい、なんて理由だったら面白いなと想像する。魂だけとなった存在が、風呂上がりのビールを飲み干すひとのように、「この一回のために生きてる！」と快感に身を震わせる情景が目に浮かぶ。

「枠組みを変えてみるんだよ」と女の子はつづけて言った。

またどこかでがっしゃんと、壊れるような音がした。

わたしたちはわけのわからない世界に、意味づけをしたりレッテルを貼ったり、ヴェールで覆ったりして、何とか生き延びている。何年もかけて信念を構築し、それを前提にした上で世界を解釈したり、何かを創造したりする。にもかかわらず、哲学はあっという間に「前提を問い直す」などといって、積み上げたレンガを粉々にしてしまうし、他者はわたしの大切な意味づけを、デリカシーの欠片もなく剥がしてしまう。そう考えると、哲学対話とはわたしたちを自由にするどころか、立っている場所を脅かす兵器でもある。だからこそ、哲学や他者によって問い直しを迫られたとき、わたしたちは自分自身が壊れるような感覚を抱く。

街場で行った哲学対話で、持論を展開させている中年の男性がいた。満足そうに話し終えた男性に対して、中学生だと言っていた女の子が、不思議そうに手を挙げる。彼女は「なんでそう思うんですか」と言った。哲学対話の時間では、なんてことのない質問だ。だが、男性は「なんで……」と呟いたまま、黙り込んでしまった。彼は、機能不全をおこしたロボットのように目を見開いて、呆然と宙を見つめていた。

しかも、哲学はわたしたちの目を見えるようにするどころか、より見えなくする。近眼のひとが眼鏡を外して見るように、ぐねぐねと境界が混ざり合い、わけのわからない世界が露わになる。こんなところで自分は生きていたのかとびっくりする。

だがたまに、ぐにゃりとした秩序のない世界を、平気な顔をして歩き回っているひとがいる。彼らにはレッテルや意味づけ、もっと言えば世界に対する偏見がなく、ただただ自然に、穏やかな表情で仕事をしたり、コーヒーを飲んだり、眠ったりして、生活を営んでいる。

ある夜、知人4人で食事をしていたとき、その中に福岡出身のひとがいた。彼にあれこれと質問をし、あそこはいいところだよね、あそこは何がおいしいの、などと九州の話で盛り上がる。すると、ずっとにこにこと黙って話を聞いていた1人が、このあとの予定を尋ねるような気軽さで自然に問いかけた。

「九州って四国？」

思わず絶句してしまう。「違う」と言うので精一杯だ。このひとはそれを知らずにどうやって生きてきたんだろう。焦るわたしたちと対照的に、彼はふむふむ、と興味深そうに話を聞いている。違う。もっと深刻に受け止めて欲しい。福岡出身の知人は、とうとう「古事記をもとに考えれば、『四国』と表現することも可能かもしれない」など、なんとか合理化を試み始めた。無理がある。

だが、九州や四国、東北などの区分は、わたしたち人間があとから勝手に決めたものだ。そしてそれを「知っていなければならない」と勝手に思い込んでいるものだ。わたしは、自分の前提に気づかされるとともに、彼の無垢な世界とのかかわり方に憧れた。「福岡って四国？」ではなく「九州って」という問い方もいい。彼は普段から、ジンジャーエールを自分で買ってきて、飲んだあと驚いた顔で「ジンジャーエールの味がする」と言うひとなのだ。

世間ではそういったひとたちのことを「天然」などと名付けて、何とか型に当てはめようとする。しかし彼らはその言葉からもするりと抜け出して、楽しそうに走り回っている。わたしがぐにょぐにょした世界で身動きを取れずにおろおろしている間に、気にせず前にずんずん進んで、こちらにおーいと手を振っている。凝り固まったわたしを粉々に打ち砕いておいて、けらけらと笑っている。

そしてそれがわたしには、なぜだかとてもうれしいのだ。

哲学対話をしているときも、同じような喜びがある。わたしの硬直してしまった信念を誰かがあっけなく壊してしまう。こわくて、危なくて、うれしくて、気持ちがいい。どきどきしながらも、素肌に風が当たるかのような感触がある。わたしは世界に身ひとつで佇まざるを得ない。だが、そんなわたしが、わたしであることを確認することができるのもまた、他者の言葉によってなのである。他者の考えや言葉がざわざわとわたしの素肌をなでるとき、わたしははじめて自分がどこにいるのかがわかる。真っ暗闇の中、誰かに腕をつかんでもらえたときのように。

そうしてまたわたしたちは、新しくまた何かをつくりはじめる。

ガシャンという音は、わたしが壊れる音である。だが実はそれだけじゃなくて、わたしができあがっていく音でもあるかもしれない。崩れてしまったわたしの部分に、他者の考えや言葉が、パーツとなって飛んできて、わたしの身体にフィットする姿を想像する。ガシャンと音がする。気持ちがいい。そうか、これは、生まれ変わりの音だ。

ああ。この1回のために生きてる。

神は酸素である、と彼女は言った

10代のころ、毎晩布団に入ると「神さま、今日1日わたしはとても幸せでした、全て神さまのおかげです」とお祈りした。信心深かったわけではない。誰かに言われてやっていたのでもない。ただ、神にいい子ぶっていたのである。

神は定義上、全知全能だ。わたしの猫かぶりなんて、神はあっという間に見抜いてしまうはずである。わたしは神に出し抜かれることをおそれながら空虚ないい子をつづけた。

中高はカトリック系の学校だったので、朝礼前には必ずお祈りの時間があった。とはいえ、ほとんどのひとが上の空で、放送から流れてくる言葉に合わせて虚ろに口を動かすだけだ。生活の中の、ただの習慣の一つ。だがわたしは、クラスメイトがうつむいて祈りの言葉を唱えているとき必ず、ちょっとだけアゴをしゃくれさせていた。神が全てを見通すならば、不真面目なわたしを見つけるだろうと思ったからである。

神を信じたかったのか、信じたくなかったのか、信じていたのか、信じていなかったのか、真剣だったのか、ふざけていたのか、よくわからない。きっとその全てだったのだろう。くだらないお祈りと孤独な賭けをつづけて、神に見つけてもらえないままわたしは卒業した。

強い負荷がかけられた言葉が好きだ。ギャル語、言い間違い、特殊用語、過剰敬語。変形した言葉を見たり聞いたりすると、うっとりする。

たとえば先週。カフェで仕事をしていると、隣で若いサラリーマンが電話をしていた。彼は、グラスがびしょびしょになったアイスコーヒーに口もつけずに、ぺこぺこと電話の先にお辞儀をしている。ひどく恐縮している様子だった。仕事が大変なのだろう。

「はい、はい、そうですね、はい。そのように仰ってらっしゃるのを聞かせていただきました！」

おお、と思ってつい隣を見てしまう。真面目そうな彼は、心の底から自分の誠意を相手に伝えようと、尊敬語と謙譲語をどろどろのバターにして、言葉に塗りたくっているみたいだ。甘ったるいバターの熱にやられて、言葉は密やかにとろけている。

別の日、ある紳士服販売チェーン店へビジネスバッグを買いに行った。ほんの数回しか使わないものだったので、一番安い商品を手に取り、適当な気持ちでレジへ持っていく。デザインも利便性も気にしない。わたしにとっては、どうでもいい買い物だ。素敵な眼鏡をかけたレジの女性は、わたしからバッグを丁寧に受け取ると、こう言った。

「おクーポンはございますか？」

おクーポン。わたしは感動で目を開く。ネット上で「おデバイス」や「ごＰＤＦ化」という言葉を見たことはあるが、おクーポンは初体験だ。響きも抜群にいい。群を抜いている。声に出して読みたい日本語だ。

いつの時代も、さまざまな番組や本、有識者の口から「日本語の乱れ」という嘆きの声を聞く。あるシンポジウムにパネラーとして登壇したら、アンケートに「司会者の敬語がなっていない」という感想だけ書かれていたこともあった。司会はわたしの友人だったから、何だかいたたまれない気持ちになった。

だが過剰敬語とは、言葉の使用法の無知というよりは、不自然さを犠牲にして、相手に誠意を見せようとする力業ではないだろうか。こんなにも言葉を痛めつけてまで、わたしはあなたに篤実であるということを伝える行為だ。そして、その行為の是非は別にして、わたしは負荷をかけられてしまった言葉の生命力が好きである。この言葉はむしろ、生きている。打撃をとことん加えれば加えるほど、その言葉はびちびちと奇怪に生命力を誇示してくるようだ。

以前、わかりづらくなってしまった言葉や、何を意図しているのか全くわからなくなってしまった言葉を愛していると書いた。わけのわからないへんてこな世界そのものを、そのまましてしまっているように見えるからだ。彼らの葛藤や矛盾、引き裂かれた思いが、言葉に正しくない形で現れる。用法として間違っている。正しくない。

だが、やっぱりそれはどこか正しいのである。

「生徒がとんでもないことを言ってしまったらどうするんですか?」

子どもと哲学対話をやろうとすると、ほとんど必ず聞かれることだ。哲学は、あらゆるものを疑い問うことがゆるされるから、時に子どもは「なんで学校に行かなくちゃいけないのか」「なんで年上に敬語を使わなきゃいけないのか」なんて問いを持ち始めるし、めちゃくちゃな論理やまとまっていない言葉で自分の考えを語り出すこともある。そしてそれをいやがる大人も多いし、生徒の哲学対話の様子を外から眺めて「生徒はとんでもないことを言っている」と苦笑する教員も多い。期待が裏切られた、というよりも、やっぱりね、という表情だ。「生徒に自由に考えさせるよりも、まずはしっかりとした哲学の知識を教えるほうがいいのでは」と言うひともいる。

哲学対話の授業に同行していた哲学教授であり哲学対話の実践家が、いつもと同じ質問を受け取ったとき、うんざりした顔でこう言ったことがあった。

「あのですね、哲学者のほうがよっぽどとんでもないこと言ってます」

たしかに、子どもたちは意外と「とんでもないこと」は言わない。どこかで聞いたことのある優等生的な答え、親から受け継いだであろう思想、社会に流通している常識を口にする。問いに対して「答え」ではなく「正解」を言おうとするからだ。

それに対し、哲学者は変なことばかり言っている。新プラトン主義の流出説とか。ニーチェの永劫回帰とか。ハイデガーの四方界とか。倫理学者だって、トロッコ問題やらサバイバルロッタリーやら、相当ぶっ飛んだ思考実験を試している。大学の授業で巡り会う哲学史に登場する哲学者たちは、臆することなく常識外れな考えを連発していて、その軽快さに引き込まれた。彼らは正解を目指しているというよりは、彼らの「答え」を求めているような気にさせられる。

「とんでもないこと」はなぜ嫌われるのだろう。なぜ「哲学」ではないと思われるのだろう。なぜ、子どもたちがこの世の正解を探すことを止め、自分の矛盾を抱えた思いをおずおずと表現したり、冗長な言い回しやめちゃくちゃな文法であっても何とか考えを口にしたり、負荷をかけながらも言葉を探す姿を見て、「なんか、とんでもないことばかり言っちゃってましたね」と簡単にまとめてしまうのだろう。子どもたちは世界を切実にまなざすからこそ、自由な発想を自らにゆるしたというのに。

哲学者は「とんでもないこと」を言うが、突拍子がないわけではない。彼らにはしっかりとした理由がある。動機づけがあり、その主張を支える基盤がある。同じように子どもたちにも理由がある。彼らのための、彼らだけの細く見えづらい道があって、その入り口にぽつんと頼りなさげに子どもたちは立っている。

授業中勇気を持って発言した生徒が、終わったあとにわたしのところにやってきて「とんでもないことを言ってごめんなさい、先生のことを困らせたかもしれない」と申し訳なさそうに言いにくることがある。なぜそんな風に思うのだろう。なぜ自分の考えが、場に貢献していないと思うのだろう。なぜあなたが苦しんで産んだあなただけの道を恥じるのだろう。

とんでもないことを言ってごめんなさい。

わたしはこの言葉を聞くたびに泣きたくなる。

ある女子校の中学で「神は存在するか？」という問いが生徒から提起された。普段はおとなしいという生徒たちが、熱心にこの壮大な問いに取り組んでいる。どのようにして、未だ経験していないように思われる神を証明するのか、という哲学史的にもアツい展開へなだれ込み、休憩時間になった。椅子にまだ座り議論をつづけている子たちを眺めていると、一人の生徒が近づいてきて「ずっと考えてたんですけど」と真剣な顔で言った。

「神さまって、酸素だと思うんです」

心から「なんで」と聞いてしまう。授業の中で、皆の口から語られていた神の像は、絶対的な父のようであり、気むずかしく奔放な神話の神々のようであり、おとぎ話に出てくる寛容な老人のようであった。どれもどこか想像のしやすい神さま像である。道理がわかる。だが、彼女の考えは突拍子がなく、それこそとんでもない発想だ。

「神さまって見えないじゃないですか。酸素も見えない。てことは、神は酸素なんじゃないかって」

面白い意見だ。彼女は、神が作った宇宙になぜ酸素がないのか不思議に思ったようだ。神がわれわれを見守っているとするならば、神は地球にいる。地球には酸素がある。ということは、神は酸素なのだ。じゃあ神さまはそこら中にいるね、とわたしが言うと、彼女は「でも、吐いたら出ていっちゃう」とはにかんで笑った。

数年前の彼女の言葉が、いまでもわたしの魂に沈んでいる。なぜだか、10代の頃のわたしに聞かせたかったな、と思う。神を信じたくて、信じたくなくて、よくわからなくて、とにかく混乱して、おかしな賭けをしていたわたしに。別にそれで何かが変わるわけではない。でも、なんだかそんな考えを聞きたかった。わたしはただ、さみしかったのかもしれない。

彼女の言葉は、理由を背負っている。とんでもなくて、めちゃくちゃで、ゆるゆるの論理で、ちょっと笑えて、そしてとても伝わる。彼女の頭で煮込まれた、彼女だけの言葉だ。汗を光らせたサラリーマンが叫んだ「仰ってらっしゃるのを聞かせていただきました」も、わたしのバッグを受け取ったレジの女性の「おクーポン」もそうだ。どこかで「間違い」や「失敗」を予感しながらも、自分に正直に、世界に切実に立ち向かって投げる決死の言葉。

これも一つの孤独な賭けである。

ある昼下がり。大学図書館のカウンターに哲学研究室の鍵を預けに行く。カウンターの女性は顔見知りではあるが、話したことも名前を明かしたこともない。ただ「哲学」と書かれた鍵を預けたり預かったりするだけの関係である。いつものように鍵を返し立ち去ろうとしたら、何か不備があったのだろうか、女性が背後からわたしを呼び止めようとこう叫んだ。

「あ、あの、哲学さま!!!」

彼女も賭けに出たのだろう。

わたしは振り返る。

ぜんぜんわからない

夜道をふたりで歩いていたとき。

わたしは耳にしたばかりの「VUCA（ブーカ）」という概念について、隣を歩くひとに説明していた。ブーカとは、変動性、不確実性、複雑性、曖昧性のアルファベット頭文字を並べたもので、グローバル化した現代のぐちゃぐちゃした状態を指し示す単語だ。2010年代頃から注目され始め、ビジネスの世界はもちろん、教育界でも「ブーカの時代」であるいまをどう生き抜くか、ということがしばしば主題となる。

ちょうど彼は教員をやっていたし、そのキーワードを紹介し意見を聞きたかった。一通り説明し終え、これから自分の意見を述べようとすっと息継ぎをした途端、いままで静かに聞いていた彼が、突如目を見開き、暗く静かな夜道に向かって叫んだ。

「人生はいつだってブーカや!!!」

ちりんちりん、と間の抜けたベルを鳴らした自転車が、のろのろとわたしたちを追い抜かす。普段はおだやかでおとなしい彼が、突然謎の関西弁で暗闇に叫んだ言葉を、いまでもたまに思い出す。

わかる、はわからない。
わからないことはわからない。わかることもわからない。わかろうとしてわからなくて、どうしたらいいのかもわからない。
社会のしくみがわからない。他者がわからない。親も、友だちも、先生も、何なのかよくわからない。言葉もわからないし、世界がよくわからない。自分もよくわからない。
とにかく生まれて、とにかく言葉を覚えて、とにかく働いている。たまに考えたり、話したり、聞いたりして、そして混乱している。

哲学科に入って、修士号まで取って、それからまた何年か研究して、ちょっとは「わかる」と思ったら、別にわからない。だいいち、わかる、ということが何なのかもわからない。風邪の引き始めのときみたいに骨のつなぎ目がふわふわして、残像でできた世界でまどろんでいる。

熱が出ているのかもしれない。熱が出ると、世界はゆらぐくせに、わたしとの境界線ははっきりとするのがむかつく。身体がわたしと世界を明確に区切っていることが意識されるからだ。

身体が弱かったわたしは、よく学校を休んで、午後の曇天をけむりを見て過ごした。マンションの窓から見下ろすと、いつも隣のおじいさんが何かを燃やしていて、けむりがもくもくと立ち昇っていた。遠くを見やると、ゴミ焼却場があって、それはまるでわたしを見張る塔のようだった。午後。けむり。曇天。小学校ではいまごろ、図工の時間だろうか。みんなはわたしのこと、忘れただろうか。ずっとわたしはこのままなんだろうか。

ぶぶぶぶぶぶぶぶぶ、と郵便局のバイクが走っているのが見える。わたしもバイクに乗せてほしいなあと思う。おじさんの後ろにまたがって、びゅんびゅん風景が通り過ぎていくのを眺めながら、次の家の住所を耳元にささやいてあげよう。しっかり捕まってなさい、と諭すおじさんの口からは、缶コーヒーの匂いがするだろう。

午後、けむり、曇天。

わたしはこの時間が嫌いだった。


10代になって、もっとわかることよりもわからないことのほうが増えた。自分を閉じ込める考えしか思い浮かばなくて、どうしたらいいのかもわからず、ほとほと困り果て、哲学科に入った。哲学科は同じように困っているひとが何人かいて、困ったねえ、とか言い合いながらカフェオレを飲んで午後を過ごした。大学の授業では、哲学史や哲学者については教えてくれたけど、世界が何なのか、何かをわかるとはどういうことなのかは教えてくれなかった。何人かの友人たちは、わからなかったな、とつぶやいて「社会」に出ていった。

わたしだけがぐずぐずと大学に残って、困ったなあ、と言いつづけた。でもその代わりに、一緒にカフェオレを飲んでくれるひとは増えた。そのひとたちは大学に在籍しているわけではなかったが、同じように、困りましたねえ、と言って目の前に座ってくれた。

そうやってまた何年か過ぎた。

だがやっぱり哲学が何を教えてくれたのかはわからない。

哲学書をひらく。強そうな言葉が並んでるな、と思う。学生がやってきて、「これってどういう意味ですか」と聞いてくる。わからない、と思いながら、説明をする。学生が「なるほど、わかりました」と言う。わかるのか、すごいな、と思う。

哲学対話をしに出かける。参加者のひとの言っていることがよくわからない。でも、わからないとは言えない。なんか悪いな、と思う。わかりません、って、相手を拒絶するようで言いたくない。代わりに「それってこういうことですか」なんて聞いてみる。他の参加者のひとが「いや、違うんじゃないですか」「そうではなくて」と言う。ごめん、と思う。

哲学をやるとどんな良いことがありますか、と聞かれる。よくわからない。それなりの、ぽいことを適当に言ってしまう。相手は納得しているようだけど、実際の所はよくわからない。哲学は救いになりますか、とも聞かれる。わからない。なるひともいるだろう。だけどそれが哲学のおかげなのかもよくわからない。哲学で救われたんじゃなくて、自分で自分を救ったんじゃないだろうか。わからない。

永井さんは哲学に救われたんですね、とも言われる。そうなのかな。わからない。

でも、哲学があってよかったなとは思う。

救いという言葉は、ひとの気持ちをあやうくさせ、ぞわぞわさせ、いたたまれなくさせる。

「救済」なんて言い換えれば、もっとそれは妖しくぎらぎら光って、わたしたちをどぎまぎさせる。超越的なものや、精神的なものとのつながりを、予感させるからだろうか。哲学で救われるとかうえーって感じ、と昔研究室で誰かが言っていた。周りも同調するようにワハハハハと笑っていた。ちょっとわかるような気もするし、やっぱりわからないよな気もする。

だけど、思い出すことがある。

いろんなことをよく相談される友だちがいる。厳しい家庭環境を生き抜いてきたひと、つらいことをたった一人で背負い込んでいるひと、しんどい病気を抱えているひと、とにかく世界のわけのわからなさにのみ込まれながら、なんとか顔だけは出している状態のひとたちの傍に、彼女はいる。彼女はいろんなひとのことを、よくわかっているようだった。

もちろんわたしもまた、彼女に自分ではどうにもできない、だがべったりと自分の人生に張り付いてしまっていることについて話したことがあった。彼女は大きな目をぱちぱちさせて、真剣な顔でそれを聞いた。

あるとき、何かのパーティーで一緒になった彼女は、ずいずいと近づいて、大きな目をくりくりさせ「あのさ」と話しかけてきた。パーティーで何かあったのかと思い、うん、と応える。彼女の顔は真面目そのものである。
「わたしね、いろんな大変なひとの話を聞くんだけど」と彼女は言う。突然何の話だ、と笑いそうになる。

「実は、ぜんぜん、わかんないの」

彼女は、秘密をささやく声で、眉間に皺を寄せている。長いまつげが、頬に影を作っている。意外なことかもしれないが、それを聞いて、なんだかわたしは救われた気になったのだった。

わたしたちは、お互いの話をわからないからこそ聞くことができる。わたしたちがお互いに似ていて、境遇を共有していて、双子のようであったら、わたしたちは話すことができないだろう。わからないからこそ、耳を傾けて、よく聞いて、しつこく考えることができる。無責任な共感などいらない。彼女のわからなさこそが、わたしたちにものごとを語らせる。

それは哲学対話の現場でもよく起こる。誰かが何かを言うたびに、皆が「めっちゃわかる！」と言いあう女子校に行ったことがあった。わたしはこうだと思う。めっちゃわかる！

わたしはこうかも。そうそうわかる！　何を言っても、彼女たちは互いに共感して、深くうなずいている。

だが、よくよくしつこく理由を聞いてみると、実は全然違う前提に立っていたことがわかる。あれ？　と誰かが不思議な顔をして、どういうこと？　と問い始める。意見が全然異なると思われていた2人が、同じ理由を共有していることも。言葉の使い方、とらえ方がそもそも全く違うことも。

彼女たちの王国が少しずつ壊れていく。だが、彼女たちの表情は、むしろほっとして、穏やかになる。何人かにとって、いや、おそらく全員にとって、その王国は虚構だったのだ。むしろ彼女たちを閉じ込める檻だったのかもしれない。そんな予感を持ちながら、とにかく一緒に辛抱強く考える。「この話、簡単だと思ってたけど、そんなことなかったな」。誰かがぽつりと呟く。この呟きで、救われたひとがきっといる。

世界へのわからなさに立ち向かっているときに孤独を感じるのは、おそらく、自分だけが仲間はずれだと感じるからだろう。自分以外のひとがみんな怪物に見えて、自分だけが馴染めない。怪物たちが追いかけてくる。わたしを追い詰める。袋小路に追い込まれて、道に倒れ伏し、自分の手のひらを見ると、恐ろしい獣のツメを持っていてぎょっとする。怪物なのはわたしのほうだったのだ。周りはみんなちゃんと人間だった。ずっとこうで、わたしだけで、これからもそうなのか。

だがおそらく、世界はそんなに単純ではない。

ひとは時に、周りはみんな同じで、みんなわかりあっていて、共感していて、自分だけがそこに馴染めないと思っている。だが本当は、世界は曖昧で、不確実で、複雑で、そこにひとびとは、なんだかんださみしかったりわからなかったりイライラしたり笑ったりしながら、生きている。「わたしだけ」がこの世には無数にあって、それぞれさみしくて、バラバラで、めちゃめちゃで、そういう意味でわたしたちは、平等である。

哲学対話をしていて、対話が居心地の悪い同調や、いたたまれない孤独につつまれているとき、わたしは願う。もっともっとバラバラになろう。バラバラになって、ちゃんと絶望しよう。もともと世界はいつだって、多様で、複雑で、曖昧で、不確実だ。その意味でわたしたちはみんなみじめで、みんな平等にひとりぼっちだ。

でもだからこそ、わたしたちは困ったねえ、と笑いながらカフェオレを飲むことができる。

ある企業で、「はたらくとは何か」というテーマで哲学対話をしたとき。参加者のある女性が、話しながらぽろぽろと涙をこぼした。自分のこれまでの思いや、わからなさや、さみしさが、どっとあふれ出たのだ。だが誰も「わかる」とは言わない。わたしたちは互いに、誰一人わかりあうことはできない。そのことを、誰もがわかっている。その事実が、わたしたちをやわらかくつなぐ。

わたしはあなたの苦しみを理解しない。あなたのかなしみを永遠に理解しない。だから、共に考えることができる。彼女の涙が、しんしんと降り注いで、気がつけばわたしたちは水中にいる。共に息を止めて、深く潜って、集中する。

わたしたちはバラバラで、同じ海の中でつながっている。

ずっとそうだった

「親戚が好きになれない」。ある哲学対話で、参加者のひとりが言った。

家のさまざまなしがらみ、習慣、伝統などを受け継いでいかなければならないために、彼はしばしば親戚と集まらざるを得ないという。それでも、親戚が好きになれないと苦笑しながら話す。

墓を守るとはどういうことか、というテーマだった気がするが、あまり覚えていない。参加者はほとんどが初対面で、わたしにとっては見慣れぬ土地での哲学対話だった。それぞれの墓の守り方が紹介され、吟味され、議論される。どうすべきか、という建設的で解決に向かうような対話ではなく、むしろそれぞれが見ようとしていなかった自身の前提や欲求を丁寧に紐解いていくような時間だった。

2時間ほどの時間だったが、親戚が好きになれないと話した彼は、長い時間をかけて何度もそのことについて繰り返した。まるで親戚が嫌いな自分を罰するかのようだった。

対話も終盤に差し掛かった頃、ずっと黙っていた参加者のひとりである中学生の女の子が、不思議そうに男性の顔を見上げ、こう言った。

「別に嫌いなら嫌いでいいんじゃないですか」

この意見自体、そこまで斬新で、奇抜で、解決を与えてくれるような考えというわけではない。「親戚　嫌い」などとググれば出てきそうな意見でもある。

だが、彼女の意見は、主張というよりは「問い」だった。嫌いなら嫌いでいいのに、なぜそうしないのですか。なぜそう思うのですか。何があなたをせき止めるのですか。

問いを受け止めた彼は、しばらく絶句し「そうか」とだけ言った。彼は彼女の問いをひとりで反芻しているようだった。誰かが手を挙げ、またぬるぬると対話が再開される。わたしたちは対話の海を彷徨って、何かを探しにいく。だが、残念ながら時間がきて、対話は唐突に終わる。ハイみなさんそれでは陸に上がりましょう、とでもいうように、わたしはハイ終わりです、と味気なく対話を終わらせる。

皆が帰る準備をもくもくと始めたとき、絶句していた男性が「今日、本当に来てよかった」と言った。「そうか、嫌いでいいんですよね、あなたにそう言ってもらえてよかった、そうか」。少しうつむいて、緊張がほどけたように彼は笑い、どうもありがとう、と言った。お礼を言われた中学生は、やっぱり不思議そうな顔をして、黙ってそれを聞いた。

まったく別の日、まったく別の場所での、哲学対話でのこと。ある小学校の、何回目かの授業だった。彼らはもうすっかり哲学に慣れて、楽しみながら対話に参加することができる。その日のテーマは、彼らがやりたいと出してくれた「おとなとこどもの違いは？」に決まった。わたしの班は8人ほどのメンバーで、初回授業から説明や対話の途中で茶々を入れてくる男の子が入っていた。他の子が話している途中も、邪魔をしたり茶化したりしてなかなか場が集中しない。とはいえ、小学校ではよくある風景だから、なんとか仲裁しながら、哲学を子どもたちと楽しんだ。

だが、対話が始まってしばらくした頃、彼は誰かが話しているのを遮って、体をぐねぐねと動かし、両手をせわしなくこすり合わせながら、目を細めてわたしにこう言った。

「本当は答え知ってるんでしょ」

答え、というのは、今回のテーマである「おとなとこどもの違いは？」に対する答えだろう。わたしの班では、年齢で決まるとか、お酒が飲めるとか、お金が稼げるとか、その違いをはかろうといろいろな意見が出ていた。彼は、あえてわたしの神経を逆なでしようと努めているような仕草で、大げさにうんうん、とうなずきながらつづけてこう言った。

「いいんだよ、はやく言って。言っちゃいなよ、答え！」

彼はにやにやと笑っていた。わたしに手を差し伸べ、答えを促している。どうぞ、とでも言いたげな表情だ。

わたしはそれを見て、ほんとうに、泣きたくなったのだった。

毎回の哲学対話の説明で、わたしは何度も「答えをまだ誰も知らない、もしくはわかったふりをしているだけかもしれない」と強調していた。だからこそみんなで考えを出しあって、吟味するのだ、と言った。わたしも、先生も、おとうさんも、校長先生だって、この答えがわからない。だから「正解」を答えようとしなくていい、まずは考えを教えてほしい、そう説明していた。子どもたちはそれをよく聞いていたし、彼がわたしに答えを求めたとき、他の子どもたちは「先生だってわからないっつってんじゃん」などと介入してくれた。

だからその場ではもう一度、彼に向かって、彼一人だけに向かって、その説明を繰り返した。じゃなきゃわざわざみんなで考えないんだよ、わたしもわからなくて知りたいから、協力してほしい、と心の底からお願いした。彼はふん、と小さく息を吐いて何度かまばたきをした。別の誰かがはい！　と手を挙げて、ぬるぬると対話が再開した。

対話が終わったあとも、彼の言葉がわたしの中で反響している。彼にあったのは、深い絶望だった。常に誰かの答えがあり、それを問われるだけという学校生活や彼の日常。後になって、彼が難しい環境にいることもほんの少しだけ知った。彼は最初の授業から、わたしたちを困らせる子どもで、そして困っている子どもだった。

考える授業っていったって、どうせ答えがあるのだろう。考える授業じゃなくて、答えさせる授業なんだろう。そういうもので、ずっとそうで、これからもそうだろう。

ああ、わたしもそういう子どもだった、と帰り道を歩きながら思い出す。そういうものだ、ずっとそうだった、これからもそうだろう。ぬるい倦怠感と、確かな絶望感だ。人生の主体がわたしではなく、何か大いなるものに奪い取られているような感覚。風は冷たく、帰り道は遠い。

横断歩道に立つと、向かいに見える寒そうなひとの群れが気怠げに口を動かしている。彼らの表情は見えない。黒いコートがずらりと並んでいる。

そういうものだ、ずっとそうだった、これからもそうだろう。

彼らは革靴を鳴らし、声を合わせながらどこかに歩いていく。


哲学対話は、日本だけでなく全世界で行われている。

学校などで行われる子どもとの哲学は、哲学対話という名前よりも「P4C（Philosophy for Children）」という名称のほうが一般的だ。ハワイ、オーストラリアなどの実践が有名だが、わたしはラテンアメリカでの実践が好きだ。ブラジルで活躍するウォルター・コーハンという哲学者は、子どもの哲学の実践の動機として、ラテンアメリカの「貧しくて公正さを欠いた社会」で、ひとびとが「みじめさの感情」を感じられなくなっているということを挙げている。大人は公平さのない世界につぶやく。「そういうものだ（That's the way it is）」「ずっとそうだった（It has always been like this）」と。

だからこそ、コーハンは子どもたちにまなざしを向ける。受け身で無抵抗で、生暖かい倦怠惑の中で絶望し切らないように。自分たちの生きている環境に対して「問う」ことができるように。彼はスラム街の小学校で、子どもとともに哲学する。「自分たちの生きている世界がほかでもありえたたくさんの可能性のなかの一つにすぎず、それゆえ自分たちの世界は自分たちで変革することも可能だと気づかせる」【＊1】ために。

地道で静かでありながら、最もラディカルな彼の試みを、わたしは愛している。

「嫌いでもいいんじゃないですか？」と問われた男性のように、わたしも見知らぬ他者に、ふと問いかけられる。そういうもので、ずっとそうで、これからもそうだろう。わたしを取り巻いていたこの言葉が、あっけなく他者の手によって引き剥がされる。本当にそうですか？　どうしてそう思うんですか？　これからもそうなんですか？　もしくは、他者の刺激によって問いを促される。これは問題なんだったっけ？　そういうものなんだっけ？　ずっとそうだったんだっけ？

本当にそれでいいんだっけ？

つい最近、ある授業で高校生たちと話していて、ひとりの学生が「そういうものだ、って言われるのがすっごくいや」と言っていた。彼女は先生にどうしてこうなるんですか、などと問うと「そういうものだから」と言われるそうだ。「わからないならわからないって言えばいいのに」と憤慨する彼女は、パワフルで勇ましかった。他にどういうときに「そういうものだ」と言われる？　と問うと、彼女は「先生にわからないことを聞いたら『考えすぎるともっとわからなくなるよ』『そのうちつらくなるよ』って言われた」と眉間に皺を寄せた。ああ、それは本当に腹が立って、くやしくて、絶望しただろうな、と思う。学校というものに、先生というものに、失望しただろう。

そういうものだよ、考えすぎるとつらくなるよ、わからなくなるよ。この思考停止を誘う言葉は、思いやりの形をとったアドバイスの容姿をしているからおぞましい。いつくしみ深い聖母の見た目をして、抱きしめられた途端にわたしたちの息の根を止めてしまう。気がついたら、あっという間に無抵抗で受け身の人間につくりかえられてしまう。

だが同時に「考えすぎるとつらくなるから、そういうものだと受け入れたほうがいい」という意見は、苦しみへのある種の防衛反応でもあることについても考える必要がある。哲学科に行きたい、と言った数年前、多くのひとに「考えすぎるとつらくなるよ」「世界は存在するのか、とか問わなくていいでしょ、そういうもんだ、でいいじゃん」と説得されたのを覚えている。確かに哲学者といえば、一人で部屋にひきこもってぶつぶつ何かを口にし、どんどんおかしくなっていくイメージがまだまだ根強い。「死なないで」とお願いされたこともある。だが、わたしが実際に出会った哲学者たちはみな陽気で、よく喋り、冗談好きで、ちょっとした図々しさすらある。

なぜ考え問うことはつらくなると思われるのだろうか。確かに苦しいことも多い。いやな現実を前にして「そういうものだ」と捉えることで、自分を助けたこともある。だがそれは問いのせいというよりは、もっと別なところにあるような気もする。

皆が想像するような「問うひと」たち。彼らは顔をしかめ、頑固なシワを眉間に刻み、ひしゃげた身体をもてあまして、苦痛に苛まれている。考えることは苦しむことだ、とでも言いたげだ。だがもしかしたらその苦しみの原因は、考えることじゃなくて、孤立にあるのかもしれない。ひとりきりで思考の海に潜っているからかもしれない。たったひとりで、たったひとつの世界観、たったひとつの価値観、たったひとつの観点で、水中を彷徨っているからかもしれない。ひとりで水中を彷徨えば、いつかは行き詰まり、苦しくなる。そしてその苦しみを、問いの深淵さと取り違えるときもある。

だが哲学は、その構造において、他なるものを渇望している。

親戚を嫌いでもいいんじゃないですか?とか、それってなんでなんですか、わたしは違う意見を持っています、というような、他なる声が、わたしの肺に新鮮な息を送り込む。わたしを閉じ込めているここは、大いなる海から見ればただの一部分にすぎない。世界はもっと多様で、奇妙で、無数の他なるものが存在する。その事実は、本当におそろしくて、そしてほっとする。

哲学は何も教えない。哲学は手を差し伸べない。ただ、異なる声を聞け、と言う。

ある夜、友だちからＬＩＮＥが届いた。ひらいてメッセージを浮かび上がらせる。そこには「神が沈黙してるのはさ、うちらが他者の声を聞くためじゃね」とあった。文章のラフさと内容がアンバランスで笑ってしまう。同意の返事をしたが、なかなか返信がこない。あとから聞いたら、風呂に入っていたようだった。風呂の前にするＬＩＮＥじゃないだろう。

あのときわたしは10歳の彼に、先生も校長先生もおとうさんも、誰も答えがわからない、と言った。彼は、はじめて目線を下に少し落としてしばらく黙り、最後の5分だけ、哲学対話に参加した。時間が来て授業が終わり、彼は遊びに教室を飛び出していった。

世界の究極の「答え」があるとしたら、神もそれを知らなかったらいいのにな、と少しだけ思った。

【＊1】土屋陽介『僕らの世界を作りかえる哲学の授業』青春出版社、2019年。

おろおろ

　別にうらやましいとか取って代わりたいとかじゃなくて、でも、友だちは結婚して子ども育てていたりして、わたしは仕事してて、そんなのを考えて、なんか、自分が友だちの人生だったらどうだったんだろう、とか、なんでわたしはこうなんだろうな、とか、別にそれはいまがいやとかじゃないんですけど、そういうことを考えたりします。

　打ち合わせと称したおしゃべりで編集者さんが、ジンジャーエールの入ったグラスをカラカラとさせながらそう言った。カフェは水の中のように静かで、彼女はささやくように話した。長い指とまっすぐ伸びた背筋がうつくしいこのひとは、いつもどこか遠くを見つめている。遠くを見る目がどんどん遠のき、彼女がついに問いそのものになってしまったような気がして、目が離せなくなる。

なんでわたしはこうなんだろうな、そういうことを考えたりします。

彼女と別れたあとも、その問いがわたしの隣に黙って座っている。彼女のものであり、わたしのものであるその問いが。

ある小学校で哲学の授業をしたとき子どもたちに、考えてみたい問いを紙に書いてもらった。全国どこでも相変わらず小学生に人気なのは「なぜひとは生きているのか?・」「死んだらどうなるのか」「人間とは何か」で、年齢が上がっていくと「本当の友だちとは何か」「なぜ目上のひとは敬わなければならないのか」など、人間関係の問いに入っていくのが面白い。高校生や大学生になると「責任とは何か」「平等であることは可能か」など、社会正義の問題へ集中し、社会人になれば「なぜ人間関係はつらいのか」など、人生に対する疲労が見え隠れする。

家に帰って、回収した紙を眺める。小さな枠内に、子どもたちが鉛筆で問いを書きなぐっている。「なぜ うんことというと へんたいといわれるのか」という問いを見つける。ふざけているように見えて、いい問いだ。人間、動物、宇宙、神。彼らの問いは万物をかけめぐる。その中で、誰よりもかぼそい字で、ささやかに書かれている問いが目に入る。

友だちの人生を歩めないのはなぜ。

どきりとする。名前を見ると、いつもにこにこと穏やかに授業に参加していた、おとなしい女の子だった。思わず振り返る。彼女に、耳元でささやかれたような気がしたからだ。同じように問いを書いてもらった先週の紙を引き寄せ、その子の問いを見てみる。そこには、またかぼそい字で「自己とは何か」と書かれていた。

幼稚園から小学生にかけて「わたしわたしゲーム」という遊びをよくやった。これは自分で開発した遊びで、午後の日が射さなくなり、部屋にうすい青がかかった空気が充満した頃に、ひとりで行う秘密の遊びだった。

午後の気だるさに身体が重くなると、ベッドに仰向けに寝転がる。遠くで、車のタイヤが道路を擦る音や、見知らぬ小学生が争う声、工事現場で何かが当たるカーンという響き、木々が風でざわめく音がする。天井を見つめながら、世界と自分をなるべく溶け合わせるようにして、力を抜く。わたし、と心の中でつぶやき、何度もわたし、わたし、わたし、と唱えると、自分に焦点があたってくるような気がして身震いする。他者の視点で自分を見ようとするが、もちろん見ることはできない、そのもどかしさ。それと同時に、ここにいま存在するこの「わたし」が意識されるという驚異と快感。

気がついたらわたしはここにいて、わたしはわたしであり、他の誰でもない。わたしはわたしを見ることができず、わたしはこの視点でしか世界を見ることはできない。わたしは生を知らないうちに与えられ、どこかでそれを閉じる。それを体験するのはこの紛れもないわたし、わたし、わたし、わたし……。

こうした畏怖と快感に心を揺さぶられる経験が「わたしわたしゲーム」だった。当時のわたしは「自意識」という言葉も知らず、この「わたし」というものをよくわからないままに、奇妙な仕方で味わっていた。

特に選んだわけではないにもかかわらず、わたしはわたしであることを引き受けねばならない。この数奇な事実を飲み込むのに、わたしたちは長い時間をかけて、たくさんの回り道をする。これは、ただ単にわたしがわたしであることを超えて、わたしに降り掛かってくるさまざまなことを引き受けることも含まれる。わたしがこの紛れもないわたしであることに加えて、この時代のこの日のこの場でのわたしであること、そういったわたしに付け加わるものも、何とか引き受けたりこなしたりしながら、わたしたちは生きている。

そんな中、ふと問いがよみがえる。友だちの人生を歩めないのはなぜ。誰かがわたしにささやきかける。わたしの人生を捨ててしまいたいわけではない。友だちの人生が心の底から妬ましく、入れ替わりたいわけでもない。にもかかわらず、小さな少女がわたしの袖をつかんで離さない。

もしかしたらこれは、わたしはわたしをいつ選んだのか、という問いであるのかもしれない。選んでいないこれを、どうやって引き受ければいいのか、と。

ひとが生きていて、息をしていて、わたしはなぜだかわたしで、あの子もなぜだかあの子であることを引き受けざるをえなくて、いろいろあって、わたしたちはおろおろしている。

深夜、ソファに腰掛けて天井を見ながら、あれ?と思う。もう始まっているのか? 気がついたら、猛スピードで進むトロッコに自分は乗っている。これは確かにわたしの人生なのか? 好む好まざるにかかわらず、さまざまな出来事がどんどんわたしに降りかかる。トロッコは止まらない。ものすごい風が顔に当たり、目を開けていられないほどだ。だが、わたしは何も感じない。トロッコに乗る自分を、ひとりアパートのソファでぼんやりと眺めているからだ。わたしはどちらでもない、どちらにもわたしがいない、わたしはわたしを互いにぼんやりと眺めて、夜が更けていく。

サルトルという哲学者は「身に起こることを引き受けろ」と繰り返し言う。この言葉は、第二次世界大戦中の日記の中に多く出てくるから驚きだ。彼の不透明な言葉に、高校生だったわたしは魅了された。身に起こることどころか、わたしがわたしであることすら引き受け忘れたような子どもだったのに。

だが、サルトルの言葉は一見すると、身に受けることがたとえ不正義であっても、それに従順になることや、迎合することを奨励するように感じられる。まるで、不正な政治に対して沈黙をつらぬき「そういうものだ」と自分自身を納得させるかのようだ。いいからのみ込め、そうサルトルに居酒屋でビールを注がれているような気にもなる。

突然おそろしくなる。家中の本をめくって、世界の中にわたしを探す。わたしの見る世界の中にわたしはどこにもいない。友だちの出した本の謝辞に載るわたしの名前を見つける。永井玲衣。これはただのインクの染みで、わたしではない。

それなのに、わたしはいる。自分がよく見えないのに、いろいろなものがぺたぺたと貼り付いていたり、背中に何かを背負わされていたりする。周りのひとびとはせわしなく動いているのに、自分だけが静止しているような気がする。友だちの人生を歩めないのはなぜ。公園を歩くあのひとの人生を生きられないのはなぜ。通り過ぎるひとびとの目、息遣い、汗のにおい。ほとんど誰もいなくなった町の片隅にある中華料理屋で、背中を丸めてラーメンをすするあのひとになれないのはなぜ。

今日もただ、おろおろ、おろおろおろする。

世界はすっかり変わってしまって、小学校に哲学の授業をしに行くこともできなくなった。あの少女に再び会うことはできない。答えがすぐに見つからなくても、あの子と一緒に、問いを見つめていたかった。こわいね、不思議だね、とつぶやきながら。そして、あの子の考えを聞かせてほしかった。「わたしわたしゲーム」を教えて、一緒に遊びたかった。

哲学対話はうるさいけど静かだ。ことばがぐちゃぐちゃに交差しながら、わたしの奥底は水中のようにしんとしている。どこからか射し込む光をぼうっと眺めて、余計なことは考えなくなる。体全体に水が触れているのを感じて、わたしというものが、普段とは違うような仕方で確かめられる。あの子と一緒に水中に深く潜りたかった。

対話はことばを交わすこと、考えを交わすことでもあるが、同時にわたしを眺めることでもある。余計な飾り付けを外して、わたしの手触りを確かめること。それがもしかしたら、わたしを「引き受けること」なのかもしれない。引き受けることは、黙って飲み込むこととは違う。わたしがわたしであること、なぜだかわたしに降りかかっている何かを、目の前におき、できるだけ生のままで、手触りを確かめることだ。口の中で、飴の形を確かめるみたいに、舌の上で転がしてみることだ。戸惑うべきじゃない、と自分を制限したり、性急に「答え」を急いだりせずに。

いまは小学校に行けない。編集者の彼女と会うこともできない。でもきっと、2人ともどこかの水中にいるだろう。おろおろ、おろおろ、しているだろうか。これがわたしの人生だ、これがわたしなのだ、とまだ無理に胸を張って宣言しなくてもいい。ただ、おろおろ、おろおろして、止まらないトロッコに乗っている自分を、トロッコに乗ったまま感じること。どこか超越的な立場から判断するのでもなく、感じないふりをするのでもなく。いろんな判断を一度宙吊りにして、ただ眺めたい。水中で、ゆっくりと力を抜いていくあのときのように。

わたしの人生と、友だちの人生と、知らない誰かを行きつ戻りつして、水の中でまた今日も眠る。

こわい

「途方もない質量がこわい」と言うひとがいた。友だちにサイコロ状のものを手渡され「これには宇宙と同じ質量が詰まっている」と言われた夢がトラウマだという。その場にいたひとたちはみんな笑った。だが彼は、あまりのこわさに号泣しながら目覚めたらしい。

親指と人差し指でつまんで持つことができてしまうほどの小さなサイコロ。その中には、途方もないエネルギーと物質がぱつんぱつんに詰まっている。それがなぜ存在しているのかはわからない。なぜ友人が持っているのかもわからない。そして、なぜ自分が手渡されようとしているのかも。不可解なことばかりだ。

でもどうしてそれがこわいんですか、と聞いてみる。彼は「わからない、どうしてだろう」と黙ってしまった。

その話を聞いていて、わたしにも、理由はわからないがこわいものがあることを思い出した。それは「ひとがあっけなく死ぬ映画」である。わたしにとって最もこわいのは、ひとびとの恐怖を駆り立てるホラー映画などではなく、戦争映画やスパイ映画、ヒーローものなどのアクション映画で、「場の流れ的に」ひとが死ぬシーンだ。親友や愛するひとの死は重い。クライマックスで、劇的に描かれ、壮大な音楽がかかる。だが、最初に撃たれる登場人物Aは、主人公の巧みな銃さばきを紹介するためだけのシーンであっけなく命を落とし、二度と思い出されない。

登場人物Aには、名前がない。つけられていないからだ。性格も存在しない。設定されていないからだ。有名俳優でもない。誰でもできるからだ。だが、このひとには、生活が存在した。わたしたちが知り得ない、だがわたしたちと同じような生活の営みが。


M‐1グランプリの霜降り明星の漫才を見て驚いた。決勝戦のネタで、ボケのせいやがプールで溺れ「頭の中に走馬燈がかけめぐる」と白目を剝く。「死にかけとるがな」とツッコミの粗品。ボケのせいやが走馬燈として、そのひとのさまざまな思い出や人生を再現しはじめる。「マメでかー！」「関節鳴らへんなあ」「この道に出てくんねんな」。それを見たツッコミの粗品が「しょうもない人生!」と叫ぶ。

どきりとした。だってこの人生は、まぎれもなくわたしたちの人生だったから。

お笑い芸人や、詩人、作家は、個人的で、普段は目に見えていない生活の営みの中の体験を言語化するのが本当に上手だ。わたしたちは信じられないほどばらばらなのに、なぜだか共有できている知覚や、記憶、体験がある。そんなものを彼らにふと掘り当てられたとき、哲学的な真理にたどり着いたような心持ちさえする。

便座は恐らく冷たいだろう/又吉直樹

お笑い芸人でもあり、作家でもある又吉直樹の自由律俳句。ここには大きなエピソードや、心震える美はない。だが、誰もが覚えのあるような日常の断片がある。ここまで言語化されなくとも、ひんやりとした白の便座から、冷たさのイメージを受け取ったことがあるひとは多いのではないだろうか。

わたしたちは大いなる物語を求める。劇的で、印象的な出来事を、大切に覚えている。自分を語るときは、それぞれの人生ハイライトアルバムがあり、それを思い出しながら自分を紡いでいく。ハイライトアルバムがうまく作れていなかったり、思い出せなかったりするひとを「うすっぺらい人間」なんて呼んで揶揄することもある。

だが、わたしたちはこのような非常に具体的で忘れてしまうような、本当に小さな小さな出来事や感情や知覚でもできている。意識にのぼらない、しかし時にひとびとと共有しうる体験、そして忘れて、どうでもいいとされて、取るに足らないとされているもの。その無数のまたたきの粒で何とかわたしという輪郭を保っている。

フランツ・カフカは「なぜ人間は血の詰まったただの袋ではないのだろうか」と書いた。ただの袋だったらどんなに気が楽だろう。そうではなく、人間は宇宙の質量が詰まったサイコロなのである。宇宙の中に数えきれず把握しきれないほどの星があるように、小さな小さなつぶつぶがあわさってできている。こんな小さな身体に、つぶつぶがぎゅうぎゅうに詰まって、おそろしい質量を持っている。

手渡されるサイコロは、わたしたちのことなのだ。

それを「いのち」と呼ぶひともいるだろう。いのちに詰まっている、無数の歴史、知覚の連なり、思考の広がり。アクションシーンで登場人物Aが死ぬシーンは、宇宙の質量が詰まったサイコロが、ただの血の詰まった袋であるかのように扱われるから、こわいのかもしれない。

よく哲学は、大きくて、ドラマチックで、抽象的な概念だけを取り扱うと思われている。

生とか精神とか形相とか。すべてにビックリマークがつきそう。哲学の学会に行くと、ばんばんそんな言葉が飛び交って、花火を見ているような心持ちになる。もちろんこれはこれで意義があるし、面白いことも多い。でもそればかりだと、自分がどこにいたらいいのかわからなくて、ふと心細くなる。

学生時代のバイトでいやなことがあった帰り道、遠く遠く遠くの知らないまちで花火が上がっているのが、ビルの隙間からほんの少しだけ目に入ったときのことを思い出す。すごくきれいで、圧倒的で、華やか。でもその花火は、わたしのものではない。わたしの手からすり抜けて、どこか知らないひとのために打ち上がっている。わたしは疲れた身体をひきずって、誰もいない暗い道をうつむき歩きながら、遠い花火の音を聞いている。

あるまちでの哲学対話にファシリテーターとして呼ばれたときのこと。大学の偉い先生をゲストにした上で、哲学対話をするという会があった。当時のわたしは、ファシリテーションもそんなに慣れておらず、本来対等にひとびとと議論する場である哲学対話に、偉い先生が偉いままに混じっているという難しい状況に対応しきれないでいた。とはいえ対話をするはずなのだからと、専門用語を使わないで、ひとびとと共有できる自分の言葉で話すルールなどを最初に話し、哲学対話をスタートさせた。問いだしから始めようと、口をひらきかけると、先生がわたしをさえぎり「世界の世界性が」と言った。

大きく鮮やかな花火が打ち上がる。わたしにはこれを、ひとびととしあわせな気持ちで眺めたり、自分だったらどのように打ち上げようか考えたりするときも、もちろんある。だが、その日参加していたのは、先生のファンだと思われる男性以外のほとんどが、そのまちに昔から住むおばあさんや、おしゃべりが好きで来てくれた女性たちで、彼の言葉も、感覚も、そして問いすらも分かちあってはいない。どこか遠いところで、見えない花火が打ち上がっている。いや、まずはみんなで何について考えようか考えようと、その先生を見やるが、花火は止まらない。ラカン、ハイデガー、ヴィトゲンシュタイン。地平、世界、様相、現象。えらいひとの名や、大きく抽象的な概念、専門用語もどんどん乱発される。対話はブレーキがきかないまま、どんどん前に進んでしまう。先生のファンだという男性が、あとを追うように花火を盛大に打ち上げる。特定のひとにしか見えない花火を。

とうとう最後まで、そのまちに住んでいるひとたちが話す機会は与えられなかった。何度か介入し、ルールを確認して、ひとびとと共有できるテーマを設定しようとしても、火薬の匂いにむせかえりそうになるほど、先生たちは花火を打ち上げつづけた。そしてわたしにも、最後までその花火は見えることはなかった。

会が終わり、先生たちの懇親会に向かう途中の道でひとり呆然としていると、参加者のおばあさんが近づいてきた。そのひととは、以前何回か哲学対話をしたが、直接話したことはなかった。彼女はぼうっとしているわたしの手をとって、自分の孫のように自分の手とつないで、坂の途中に木が植わっている場所にわたしを連れていった。風が熱い頬にあたる。ベビーカーを押した女のひととすれ違う。ごとごとと音をたてて、車がゆっくりと通り過ぎる。歩道をとおり、その脇にひっそりと佇む切り株が目に入る。おばあさんは立ち止まり、うつむいたまま話し出す。

ここには、わたしの好きな木があったのよ。いつもお家の前を掃除するとね、この大きな木が目に入って、あいさつをして。昔からある木でね。でも、あるとき、しらないひとたちがきて、許可もなくこの木を切っちゃったの。かなしかった。ほら、切り株になっちゃっているでしょ。

わたしにもお気に入りの木や草がある。何かの拍子にそれがなくなることもある。切られちゃったな、かなしいな、と歩きながら思う。ささやかな、手のひらサイズの、日常の断片だ。ただ一般的な人生のハイライトアルバムにはたぶん載らない。わたしのあまりにささやかな日常の揺れ動きだから。でも、わたしはそのかなしみを知っている。

高いところにいるひとたちの話はぜんぜんわからないけど、この木のお話は、あなたに聞いてほしかった。くだらないこと言ってごめんね。

おばあさんはそう言って両手でわたしの手を握った。いえ、さっきの対話にあったどんな発言よりも価値のあることです、とわたしは涙をこらえて言った。生まれてはじめてひとにやさしくされた気がした。

好きな木が切られて、かなしかった。ここからでも、哲学は始めることができる。だから、哲学対話ではそんな日常の断片が飛び交う。「哲学」なんてかっこいい名前なのに、「小学校のときの給食の味噌汁に入っている、ちょっと煮込まれすぎてどろっとなったわかめ」なんてものが主題になったりもする。普段の意識にのぼらず、どうでもいいとされて、議論のテーマにもならず、取るに足らないとされているもの。そんなことについても、考えることがゆるされる。あのときは、細かな断片だけど、なぜか共有できているどろどろのわかめを思い出してみんな笑った。そう、そのときの哲学対話は「不気味」というテーマだったのだ。世間はハロウィンで、これもうずっと前のことだ。

哲学はすべてのひとに関係する。すべてのことにかかわることができる。重要でないと思われているものも、哲学対話では考えることができる。むしろ、普段は忘れられているようなものや、問われもしないようなことに耳を澄ませる。そしてまた同時に、議論の場で取るに足らないとされ、話を聞かなくてもいいとみなされているひとの話にも耳を澄ませる。人間を、ただの血の詰まった袋ではなく、宇宙の質量を持つサイコロとして扱う。ともに知を愛するために、本当の意味でともに哲学をするために。

夢を見た彼はサイコロを渡されるのがこわいと言った。いまなら少しわかるような気がする。哲学対話では、誰かが考えを話すとき、まるでそのひとが、自分自身の一部をわたしに手渡してきたかのように思えるときがある。その考えは、そのひとなのである。

だからこそわたしたちはおそれるだろう。手渡されたサイコロを手から滑らせて落としてしまうことを。映画であっけなく殺されるような仕方で、誰かの考えを扱うことを。誰かが手渡してきたその考えは、ただの音ではない。それは声として聞かれる。宇宙の質量をもったいのちとして聞き取られる。

「いのちはかけがえがなく愛おしい」と言いたいわけではない。むしろ満員電車などでひとびとと身を寄せあうとき、誰のことも愛おしくないと思う。だが、誰のことも排除したくないと思う。傷つけたくない。あなたを壊してしまうこと、あなたを損ねてしまうことがこわい。でもやっぱりそれはなぜだかわからない。

変わる

もう何年も前、授業で論文発表をした。それはフランスの実存主義で有名なジャン＝ポール・サルトルというひとの著作をもとにしたものだった。わたしはうつくしく力強い言葉の数々を引用し、莫大な彼の思想のほんの一端を何とか掠め取ろうと必死だった。

わたしの発表を聞き終わった先輩たちが、いろいろな質問をする。わたしはそれを一つひとつ黒く塗りつぶすように答えた。誰かが批判をするたびに、自分がサルトルの弁護人をしているような気がして、見えない裁判官に訴えつづけた。

ある先輩の質問が投げかけられた。それは、サルトルが年を重ねていくにつれ、解釈を加え、一部は捨て去った部分についての問いであった。わたしは彼の変化について述べ、あわせてサルトルの関心の移行について説明した。すると先輩は、顔を半分歪めてつぶやいた。

「なんだ、変わっちゃったのか」

それは、せっかく価値ある考えだったにもかかわらず、サルトルがそこに興味を失ったことを残念に思ったのかもしれないし、サルトルが簡単に考えを変える軽薄な人間だと落胆したのかもしれない。たしかに以前、その先輩は自身が研究している哲学者の関心が、生涯を通して一貫していたことに焦点を当てて発表をしていた。だからやはり、自分の関心や考えを容易に変えるサルトルに苛立ったのかもしれない。

あのときわたしは曖昧に笑って、そう、変えたんです、と答えた。先輩はコロコロ考えが変わるな、と呆れた声でもう一度言った。はい、変わるんです、とわたしは小さな声で答えた。その声は、意志に反して恥じた声になった。

それからしばらくして、わたしは大学の先生とともに、あるまちで哲学対話のイベントに呼ばれた。先生が対話のファシリテーターで、わたしはただの記録係だったが、ひどく緊張していて、どんな「いいこと」を言うべきなのか、前の日からノートに考えを書き連ね、寝不足だった。
先生は時間より早く、だがのんびりとやってきた。登山のような格好をしていたので、カフェスペースだった会場が雑木林のように見えた。彼は山登りの途中に切り株に腰かけるように椅子に座って、参加者とおしゃべりをしていた。わたしは、先生の隣で大きすぎる椅子に身体をひしゃげて座り込み黙りこんでいた。
はじまると先生は、哲学対話が、あるテーマについて参加者同士でゆっくり聞きあい、じっくり考えあう場所であることを説明した。そして、哲学対話ではひとの話をよくきくこと、自分の言葉で話すことをルールだと語った。「最後に」と先生は、少しだけ身をかがめると、周りを見回して言った。

「どうか、変わることをおそれないでください」

ひとの話をよく聞き、それによって自分の考えが変わること、それを楽しんでください。先生はそう言って、少しだけ黙った。どこか遠くで蝉が鳴いているのが聞こえる。ひとの話をよく聞くこと、そして借り物の言葉ではなく自分の言葉で自分の考えを話すことはルールに思えたが、最後の話は、ルールというには少し異質で、奇妙に思えた。定められた規則を述べるというより、懇願しているように見えたのも不思議だった。ふと顔を上げると、先生はわたしたちを見ながらも、どこか遠いところを見ているようだった。

黙ったのはほんの数秒だったのかもしれない。先生はぱっと姿勢を正すとにっこり笑って、さて今日は何のテーマだっけ？　と、周りに尋ねた。

それからまた何年かして、知人に手を引かれ、哲学対話をしているひとたちが集まる会に行った。先生の仕事についていくことはあっても、決して自分からそういった会に行ったことがなかったわたしは、またもや身体をこわばらせた。参加者は知らないひとばかりだったが、その中でもいちばん目つきが悪く、身体を椅子に預けて腕を組んでいるひとが目に入った。彼は足を大きく組んでいて、尊大で攻撃的に見えた。

何について対話をしていたのかはもう覚えていない。ある学生がたどたどしく、かぼそい声で何かを主張していた。みんながじっと聞いている。話し終わると、目つきの悪いひとが手を短く挙げ「でも」と言った。彼は、発言者だけが持つことのできる毛玉のボールを受け取ると、理路整然とした意見をなめらかに話し始めた。緊張でこわばったわたしの頭にもそれは明快で堅牢だった。そしてそれは、その前に話した学生への反論でもあった。

途端に、数年前のある学会発表の風景がよみがえる。発表原稿を読み終えて顔を上げると、大勢のひとがこちらに弓矢を向けている。彼らの目はわたしのいちばんやわらかく脆いところに矢を定めていて、いまにも放たれる寸前であった。司会が「質問のある方」と言うと、矢が一斉に放たれた。

矢はわたしを恥じ入らせようとしていた。矢はわたしを「勉強不足でした」と言わせようとしていた。矢はわたしの屈辱をのぞんでいた。矢は大勢の観衆の前での、わたしの死をねがっていた。

わたしは持っていたなまくら刀をやたらめったらに振り回し、矢を振り落とすのに夢中になった。たくさんの眼が、青ざめて重い刃をあちらこちらへやっているわたしを見つめている。わたしはぎこちなく唇を動かし、みじめに引きつっていた。観客はわたしをじっと見つめて、おまえのことを知っている、おまえが取るに足らなく、ちっぽけで、ここにふさわしくないことを知っている、と矢をいつまでも放ちつづけているように思えた。


彼が話し終わり、前に発言した学生にボールが戻される。その学生は、何とか言葉を紡ぎながら、ぼくが言いたかったのはこうなんです、と言いつつも、言いたいことを探しながら話しているかのようだった。堅牢で明快な言葉に対して、その言葉はゆらいでいて、わかりにくく、簡単にほどけてしまいそうだった。学生の屍体が大勢の前で曝されるのを恐れてわたしは下を向いた。

しかし、彼は悪い目つきではありながら真面目な顔でそれを聞いた。そして「なるほど、確かに」とあっけなく言った。彼は弓すら持っていないようだった。何度か小刻みにうなずき、心底納得しているようだった。事実、彼はそのあとすぐに、何の未練もなく自分の立場を手放すことになった。

それから彼の姿をいろいろな場所で見た。彼は、哲学の博士号を持っているらしいが、どんな場所でもどんな相手でも、ただ話を聞いて、いくつか質問し、時に反論し、自分の考えを伝え、そしてすぐに「なるほど」と言った。ややクセのあるような参加者の、何度も回り道をし、ひどく個人的にもかかわらず具体性が伝わらない、反応のしにくい主張でも、彼は「いまの話、すごく面白くて」と拾い上げて、魔法のようにその意見の奥底に隠れていた魅力を探り当ててしまった。

緊張で顔を醜く上気させ冷え切った手足を固くしていたわたしには、それが驚くべきものに見えた。そこには教育的配慮や、知識人が慇懃に素人の話を聞いてやろうとする厭らしい笑みとまなざしはなかった。彼は、あらゆるひとのあらゆる意見が真理に貢献すると本気で思っているようだった。わたしが話そうが、権威ある研究者が話そうが、中学生が話そうが、彼はその身分に興味すらなかった。彼のまなざしは、わたしをつらぬいて、どこか遠い彼方へ向けられているような気がした。

ひとは「一貫性」に憧れる。樹木の幹のように筋の通ったぶれない軸を信頼する。考えを変えると、一貫性のない優柔不断な人間だと思われる。議論の場では、意見を変えたら負けてしまう。

「不変」にも憧れる。結局わたしの言いたいことは30年前から変わらないのです、なんて言われると、かっこいい、と思う。肉体が滅びてもバトンのように受け渡される不変の魂を夢想するように、時代や環境が変わっても動かない考えに惹きつけられる。

それはきっと、人間がうつろいやすい存在だからだ。運命を誓いあった恋人たちは、あっけなく別れてしまう。初心を忘れて欲に邁進する。変わる。変わってしまう。

だが同時に、わたしたちは変わるということがとても苦手だ。間違いを認めたり、信念を変えたり、前提を疑うことができない。立場を捨て去ることができない。わたしも、あなたも。おじいさんも、子どもも。おかあさんも、高校生も。変わることはむずかしい。変わることは、鎧をゆっくりと脱いで、やわらかな肉をさらけ出すことだ。わたしの魂の、いちばんやわらかな部分を、ひとに触らせることだ。

先生の「変わることをおそれないでください」という言葉がリフレインする。哲学対話では、さまざまなルールが回ごとに採られるが、これがルールとして採られるということ、それ自体がすばらしいといまなら思う。変わる、ということをおそれつつも悦ばしく思うこと、そのことに気を払えることの意味を考えることができる。

哲学対話は、ケアである。セラピーという意味ではない。気を払うという意味でのケアである。哲学は知をケアする。真理をケアする。そして、他者の考えを聞くわたし自身をケアする。立場を変えることをおそれる、そのわたしをケアする。あなたの考えをケアする。その意味で、哲学対話は闘技場ではあり得ない。

だからといって、哲学対話は共感の共同体でもない。「dialogue 対話」という言葉は、2人が対面で向かいあい、気持ちを分かちあう営みに思われがちだ。だが、dialogue という言葉は古代ギリシャ語の「dialogos ディアロゴス」からきており、「logos 言葉」を「dia 通じて」ひととひととが交わりあうことを意味するとされている。そして、その派生語には「dialektikē ディアレクティケー」がある。

ディアレクティケー。つまり「弁証法」。わたしはこの言葉を哲学史の教科書で知っていた。もちろんさまざまな哲学者が、さまざまな仕方でこの言葉を用いている。だが、ある種の弁証法を「実感」したのは、間違いなく哲学対話においてだった。

ひとが集まって話すとなると、共感しあって終わるか、もしくは闘争するか、そのどちらかと思われがちだ。だが、弁証法はそれらとは全く異なる。弁証法は、異なる意見を前にして、自暴自棄に自身の意見を捨て去ることではない。ただ単に違いを確かめて、自分の輪郭を浮かび上がらせるのでもない。異なる意見を引き受けて、さらに考えを刷新することだ。

中間をとるのでもない。妥協でもない。対立を、高次に向けて引き上げていくことだ。だがそれは対話において「変容する」ことへの容認がなければならない。昔見かけた目つきの悪い彼も、身軽に自身の考えを刷新していくサルトルも、ただ謙虚であるとか、自分の意見にこだわりがないとかではなく、自分の立場よりも真理をケアし、異なる考えを引き受けて、考えを発展していたのである。だからこそ、弁証法の場では、わたしは取るに足らないちっぽけな存在ではなく、真理に貢献するひととして扱われる。真理に近づくため、必要な存在となる。

哲学対話というと、椅子を丸く並べ、円になってひとびとが顔を見合わせているイメージを持つひとが多いだろう。もちろんこれは、フラットに話せる場作りの象徴であるし、探求の共同体のシンボルでもある。哲学対話は勝ち負けのあるゲームではないし、闘技場でもない。向かいあうと「対戦」のモチーフが想起されるが、そういうわけでもない。まなざしは互いを射抜いておらず、弓矢は打ち捨てられている。

先生やあの彼の、遠い目を思い出す。まなざしはわたしにしっかりと向けられているが、わたしを冷たく見抜いてはいない。哲学対話をしているとき、ひとは、顔を突き合わせて座っているというよりは、ひとびとと空を見るようにして、うつろいながら水面に浮かんでいるかのようだ。わたしが何かをおそるおそる話す。先生は力を抜いて、波に身を任せて楽しく揺られている。耳はしっかりとわたしに向けられながら、先生の目は、遠くかなたの何かに向けられている。重い弓矢は手放され、わたしも力を抜き、他のひとびとの言葉を通して、目の先にある何かを見ようと空を見上げるだろう。

先日、先生とオンラインで飲む機会があった。もう何年も前に、先生が設定したルールが好きだとわたしは言った。あのことが、わたしに及ぼした影響について、つらつらと語った。だが、先生はあっけらかんと「そんなこと言ったっけ？」と言った。本当に忘れているらしかった。「よし、これからは言うようにします！」と意気込んですらいる。「なんだっけ、変わることをおそれない？　楽しむ？　なんだっけ？」と聞いている。先生はかぷかぷ笑っている。わたしも、一緒にいた友人も、かぷかぷ笑っている。

サルトルも、先生も、わたしも、ひとは変わる。いまならそれがうれしい。

待つ

ゆっくり、ゆっくり、店員さんがわたしのマグカップを梱包している。箱をゆっくりと開け、わたしに中身の確認をうながす。箱がうまく閉まらない。何度も開いては閉じ、開いては閉じ、ようやく箱が元の形に戻ってくれる。店員さんはふうっと安堵した息を漏らすと「プチプチをします」とわたしの目を見て言う。割れないように梱包いたしますので少々お待ち下さい、などといった紋切り型の言葉ではない。彼女はきっと、箱と格闘しながら「これからプチプチ、これからプチプチ」と思っていたのだろう。心の中でつぶやいていた言葉が、そのままずるりと出てきたように、店員さんとわたしのあいだに落ちる。息苦しいマスクの中でわたしは「はい」とかすれた声で小さくつぶやいて、ゆっくりと箱がプチプチに覆われていくのを見ている。生まれてはじめて、プチプチを触ったかのような手つきで、店員さんは箱をくるむ。すでに相当な時間が経過している。店内にはそれなりにひとがいて、わたしの後ろには若い男女が並んでいる。時間のわりに、梱包は丁寧ではない。もったりとしたふるまいで、気まずい沈黙だけが流れている。居心地は悪く、不快感がわたしの血管をじっとりと満たしていくのがわかる。

わたしは、どんよりとした苛立ちに心を浸しながら「**どうか世界がこれ以上速くなりませんように**」と祈った。

最近、電車の中で韓国の男性アイドルグループの動画を見るのが好きだ。プロフェッショナルなダンス。魅力的な表情や目つき。透き通った声。この年になってようやく、アイドルの凄さを知ったわたしは、感動しながら動画を再生する。

だがわたしのスマホは、ほとんどつねに通信制限がかかっている。Youtubeをひらくのに一駅分かかる。ようやく見えたサムネイルをタッチすると、再生が開始するまでさらにまた一駅分かかる。やっと再生されたダンス映像は、廃墟から発掘されたビデオテープのようにガビガビで、キレキレのダンスがカクカク動く。そんな映像だから、当然顔はつぶれていて、誰が誰だかわからない。服装で誰が誰なのかを推測しようとするが、無益な試みに終わる。

いらいらとロード中の画面を何度も見つめる。それと同時に「**どうか通信制限がこの世からなくなりませんように**」と願う。

哲学対話は「話す」よりも「聞く」営みである、とはよく言われる。鷲田清一の名著『「聴く」ことの力』にて「わたしたちは語ること以上に、聴くことを学ばねばならない」という文は「哲学はこれまで喋りすぎた」という反省に裏打ちされている。

哲学だけでなく、わたしたちは常に喋りすぎている。日常で、会議で、SNSの中で。じっくりと聞くのではなく、何か「いいこと」を話さないといけないというオブセッションに急かされて、夢中で口を動かしつづけている。沈黙がこわい。よどみ、停滞がおそろしい。議論での沈黙は、その場への不参加だと思われる。真っ白な画面に、めちゃくちゃに文字を打ち込むように、急き立てられて話しつづける。もっといいことを、もっと意義深いことを。もっとひとを動かし、もっと尊敬され、もっと「ここにいていい人間だ」と思ってもらえるようなことを。

以前、ある生放送に出演したとき、残り時間の少ない中、ラッパーのダースレイダーさんに「ぼくも（下の名前が）レイなんですよ」と言ってもらえ、うれしさと何か返さねばという焦りで「それはよかったです」と答えてしまった。驚くほど空虚な言葉。空白を埋める、焦燥にまみれた応答。自分でも呆れるし、放送を見ていた友だちからは「よかったってなんだよ」とLINEがきた。

ラジオでは数秒間沈黙があると放送事故になるという。数十秒間沈黙がつづくと、エマージェンシーテープとして、音楽が自動に流れるらしい。わたしたちの人生はいつでも生放送である。放送事故を恐れて、わたしたちは沈黙を空疎な言葉で埋め尽くす。陽気な音楽が流れ始めたって、本当は誰も困りはしないのに。

わたしたちは急いでいる。わたしたちは速度を求めている。もっと速く、もっともっと速く、より多く、より豊かに、より意義深く。より豊穣な実りを。より膨大な成果を。だが哲学対話は「急ぐな」と言う。「立ち止まれ」とささやき「問い直せ」と命じる。

そして、哲学対話は「待て」とも言う。

小学生の頃、電車に乗ったとき「次は祐天寺」とこなれた口調で言う車掌さんの様子が、いつもと違ったことをおぼえている。静かに朝日が当たる車内で、ガチャガチャとマイクをつなげる音がして、車掌さんの低い声が流れる。

「次はァ、ゆう」

そう言って車掌さんは黙り込んだ。まばらに座る乗客は黙ってそれを聞いている。あのときは、スマホなんてなかったから、みんな、心細いような目で窓の外を見ていたものだった。

「…………………………………………」

サーーーという、マイクがつながったままの音はしている。スピーカーを見ても仕方がないのに、乗客はどうしたのかと見上げる。わたしも見上げる。

中目黒駅を出発した東横線はもうすぐ祐天寺駅に着いてしまう。乗客は一丸となり、緊張感をにじませた表情で、次の言葉を待っている。

「…………………………天寺です。」

向かいに座る女性がほうっと息を吐く。あんなにもみんなで車掌さんの声を待ったことはなかった。誰もが次の言葉を待ち望んでいた。出自も性別も異なるひとびとが、すさまじく張り詰めた空気の中で「聞く」をしていた。

あのときの車掌さんのことを思う。はたして次は本当に祐天寺駅なのか？　ゆう、と、てんじ、の間には、何があるのか？　われわれはどこへ向かっているのか？　彼の中に多くの問いが生まれては消え、わたしたちの日常を揺るがす。つるつるでなめらかな時間にたくさんのスペースを差し込んで、隙間をつくって、わたしたちを中断させる。目的地に機械的にすすむ電車が、あの時間の、あの電車の、あの車両の、あのときになる。

数年前の哲学対話でも似たようなことが起こった。何かを熱く語っていた参加者のひとりが、突然固まり、沈黙した。両手はろくろを回すポーズのまま静止し、目は見開かれている。そこに集まったひとびとは、全員がお互いに初対面で、ばらばらで、何ひとつ共通点がなかったが、誰も彼の沈黙を邪魔せずに息を呑んで彼のつづきの言葉を待った。その瞬間、これまですいすいと進んでいた対話がむしろ違和感を帯びたものに様変わりする。

逡巡、困惑、どうやったらこれを伝えられるのか、どうやったら相手を傷つけないかと考えをめぐらすあの間。そしてそれを、決して見逃すまいとするように集中してじっと待つ瞬間。それはわたしたちの人生に起こる放送事故でもあり、つるつる、すべすべ、サクサクとした日々に、挟まれるささやかな休息である。

だからわたしたちは愛そう、通信制限を。
永遠にまわりつづけるロード中の輪っかを。
何度も回線落ちするＺＯＯＭ会議を。
話の途中で、黙り込むあなたを。

速さ、なめらかさ、淀みのなさが価値である世界へのささやかな抵抗。舌なめずりをした資本主義の触手が、わたしたちの目を覆い隠す前に。便利と安全をうたいながら、脆さや問いかけ、ただ存在するということへの排除を宣告される前に。

こんなことを書くと「スローライフを楽しもう」「ていねいな暮らしで人生にゆとりを持とう」といった主張と思われるかもしれない。生活をバカにせず、丁寧に生を紡いでいくことは重要だ。だがわたしが考えるのはもう少し、自分の身の回りというより、他者を巻き添えにしたものであるし、時に苦痛に満ちたものである。

「待つ」ことはつらい。ただし「待たされること」を「待つこと」に捉えかえすとき、それは決断と主体性を帯びたものになる。「急ぐ」ことを拒否する態度になりうる。待つことは、目を覚ましていることだ。苛立ち、焦りを感じながらも、それを注意深く拒むことだ。

いつかのお寺での哲学対話は、黙って寺内を歩き回ったあと、再び集まって問いを共有し、対話を始めるというものだった。主催ながら寝不足で疲れていたわたしは、荷物番を買って出て、ひとびとが寺内を歩き回る時間、ぼうっと畳の上で庭を見て過ごした。時間になり、ぞろぞろとひとびとが帰ってくる。対話が始まり、ひとびとが、日常に差し込まれた空白の時間に考えを巡らせた問いを交換する。ふと「永井さんは何を考えていましたか」と問われ、うろたえる。しまった、何も考えていなかった、と思う。だが沈黙をおそれたわたしは「みなさんを待っている間、〝待つ〟ってどういうことかな、と考えてました」と咄嗟に応えた。あまりにとりとめのない問いのせいか、ひとびとからは特にリアクションはなかったし、わたしは適当なことを言ったなと自分で呆れて、それからすぐに忘れた。

だが、あれから数年経って、その問いがしゅわしゅわと静かな泡を立てて、ゆっくりと目の前にあらわれてきたのを感じる。レジの店員さんがびびびび、とセロハンテープを引っ張っている。ゆっくりと貼られるテープ、ふわふわのプチプチ、奇妙な沈黙。待つとは一体何なのか。レジで、立ちっぱなしの足の痛みを感じながら「なんだ、実は面白い問いだったな」と問いに話しかけてみる。問いはゆっくりと長い年月をかけて、わたしの目の前にふたたび浮上したのだ。

「きみがそう思うまで、ずっと待っていたよ」

しゅわしゅわと音を立てながら問いは言った。

もうやめよう

　夜のテレビは、クイズ番組ばかりだ。

　難読漢字、地理、なぞなぞ、パズル、歴史、ランキング予想。とんぼの目はいくつある？　トルコの首都は？　□に入る文字は？　マルかバツか？　制限時間の中で、回答者たちは焦るように身を乗り出し、目を見開き、肩でぜいぜいと息をしている。

　リレー形式の回答方法なのか、残り時間が数秒のところで、ある芸能人が最後のひとに回答権をつなげている。だがそのひとは、問題を前にして答えることができないようだ。彼女は目が空洞になり、全身の力が抜けて、停止している。彼女は何も答えない。失敗を知らせる大きな音がして、彼女を取り囲む他の出演者が、頭を抱えて悔しがる。わたしはテレビを消して、失敗のブザーを頭に響かせたまま、眠りにつく。

目を覚まし、目にする朝の芸能ニュースでは、アイドルが自分のエピソードを披露している。かと思えば「さて問題です。このあとどうなったでしょう?」と、画面の中から突然問いかけられる。

だらしなく口を開けたまま、寝起きの頭でうっすらと考えてみる。誰もいない部屋の朝は湖のほとりのように静かで、さみしくて、よそよそしい。スタジオに座るひとたちが、張り付いた笑顔で短く刻まれる時計の音とともに、予想を交わしあっている。「正解はCMのあと!」と出題者のアイドルは冷え冷えとした微笑みを見せて、ポーズをとる。すべてが過剰で、何かが欠如している朝だ。

ゆっくりと血を送るように考えてみる。だが、言葉と言葉が散らかって結びついていかない。アイドルが誰だったのかもうまく思い出せなくなる。マルちゃん正麺、匂いのつかないムシューダ、過払い金。このあとどうなったでしょう。このあと。あのひとが、どうなったか。なる、というのは何か。キリンビール、伊藤ハム、ソニー損保。なる、する、ある、いる。

気がついたら番組は終わっていて、結局答えが何だったのかを見逃してしまう。その代わりに、昨晩クイズ番組で答えられなくなったあのときの彼女の表情が浮かんでくる。問いを前にして全身の力が抜けるあの感覚も。この問題はわかりますか？　あなたのビジョンは？あなたはどうして生まれてきたのですか？

中学のときの期末試験が本当に、何も、わからなかったことが思い出される。頭の中が言葉や数字でぐちゃぐちゃになって、自分が誰で、ここがどこなのかもわからない。自分が何を問われているのかもわからない。自分の字が、自分の字ではないみたいだ。身体の内部に、胸からじっとりと冷たい水がつたっていく感覚がする。水はどろりと腹部に落ちて、全身にゆっくりゆっくり広がっていく。力が抜けていき、不思議とひどく眠くなってくる。問いはわたしの前で分散し、すべては曖昧になっていく。

そう、あれは、あきらめの感覚だ。

とある学校の中学1年生と哲学対話をした。テーマは「人間」で、とりわけ「本能」について生徒たちは話したがっていたようだった。コロナの影響で直接顔を合わせる機会がなかったせいもあるのか、少しだけぎこちなく対話がはじまる。頭の切れそうな子が、ハキハキと植物やウイルスの類比を使って、子孫を残すことについて語っている。「人間の本能は増えたい、ということではないでしょうか」。他の子がそれに反応し、だんだんとにぎやかに、対話が進んでいく。

だが対話は、少しずつ不穏な雰囲気に満ちてくる。誰かが「人間って、子孫を残すために生まれてきたのかな」と言う。わたしが生きているのも、子孫を残すため？　とたんに子どもたちがわあっと声をあげる。いやだ、こわいこわい、いやだ！　予想以上の反応の大きさに少し驚く。大人たちの哲学カフェでは「子孫を残す」というワードは、「まあそんなもんでしょう」という心得顔とともに出されることが多いからだ。喧騒の中で、ひとりの少年が不安そうにぽつりとつぶやく。

「ぼくたちは、いつも子孫繁栄しないといけないのかな」

ああ、と声がもれてしまう。13歳の少年は、目の前で心細そうに座っている。生まれたときから少子化で、不景気で、税金が足りなくて。小学生の頃「日本の未来のために、たくさん子どもを産んでね」と言われたことが頭をよぎる。産めよ、増えよ、地に満ちよ。女性には地元に帰って、たくさん子どもを産んでもらわなければいけません。つくりましょう、生産しましょう。**あなたたちは産めよ、増えよ、地に群がり、地に増えよ！**

「社会って、共同体って、どうしてもつづけなきゃいけないんでしたっけ」。誰かが、どこかで言った言葉がよみがえる。いつだったかも、誰の言葉かもおぼえていない。ただ、生々しい声だけが耳に張り付いている。産めよ、増えよ、地に満ちよ。つくりなさい、つづけなさい、永遠に。

生徒たちはこわい、こわいとまだ騒いでいる。どうしてこわいの、問いかけて、考えようとする。感情だけがゴールではない。その後ろにも必ずそれぞれの理由がある。ひとりが手を挙げて、言葉を探しながら話し出す。

「人間の生きる目的が繁殖することなら、すべてが、いまここで話したり、考えたりすること、それもぜんぶ、ぜんぶ無駄になる」

無駄だ、ぜんぶ無駄だ！　お調子者の少年が、それを聞いて声を張り上げる。彼は苦笑いをして、手を大きく振ってわたしに提案する。「先生！　考えるとむなしくなるから、これはもうやめよう！」

生徒たちはお調子者の言い方にどっと笑って、彼を見ている。彼は「真実を知るとむなしいから」と悟ったようにほほえみ、椅子にどっかりとよりかかる。何人かは集中力が切れて、別のおしゃべりを始めている。だが「違う！」と誰かが叫んでいる。あれ、これはわたしの声じゃないか、となぜだか遅れて気がつく。

待って、絶望するな、違う、違う、考えよう、まだわからない、まだわからないよ！　わたしは気がつくと、喧騒の中で声を枯らして叫んでいる。こわい、そんなのいやだ、そう思うことはなぜで、そう思うならどこかが違うはずで、そうじゃない仕方はあるのか、そうだとしても、それが何なのか、考えたいよ。なにかに突き動かされるように、声を張り上げる。

そもそも本能と、人間の価値はまた別の話なはずで、まだたくさん、たくさん考えることはある。まだわからなくて、真実なんてすぐに出るわけがなくて、どうなるかわからないのに。

むなしさと、あきらめに屈してしまいそうな問い。わたしたちは、繁殖するためだけに生まれてきたの？　わたしたちの価値は、生産性ではかられてしまうの？　わたしは生きていていいんでしょうか、わたしはこれでいいんでしょうか。子孫を残さないといけないんですか。人間の本能が子孫を残すことなら、人間の価値は子孫を残すことで決まりますか。

人間に崇高な価値があって、使命があって生まれてきたんだと思いたいわけではない。生きていることそれ自体が価値であるという言説もあふれかえっていて、よくわかって、そのとおりだと思う。そしてある種の「答え」もいっぱいある。生物学的な答えだってあるだろうし、社会学的な答えもあるだろう。でも結局、わたしが考えるしかなくて、わたしが引き裂かれるしかない問いである。

わたしたちには、問いがある。時にばかばかしく、時に頭を抱え、ぼろぼろ涙が出てしまいそうになる問いが。

いつまで働きつづけなければいけないんでしょうか。

ひとを愛するって、どういうことなんですか。

普通って、何ですか。

わたしは、生まれてきてよかったですか。

日々はわたしに、探求することの快感と苦痛を教えた。わからないことは増えていき、むしろわかっていたと思っていたことが、フィルムが剝がれるように、ほころびを見せて、見知らぬものとして迫ってくる。わたしたちは、転びながらも、答えを見つけようと走りつづける。

そしていつか、走り疲れるときがくる。硬い地面に膝をつき、どこからも力が湧いてこないのを感じる。指1本も動かすことができない気がして、地面に横たわってしまう。そして、ゆっくりと、あきらめが近づいてくる。あきらめは外からやってこない。内側の奥底から、じわり、じわりとやってくる。胃の腑が冷え切って、とろりとした眠気と、世界にもやがかかるのを感じる。

だが、問いはわたしの影のように、そばにいる。そのときに気がつく。問いは、時にわたしを苦しめ、時にわたしをはげます存在であることに。

あきらめがわたしを喰い破りそうになるとき、問いがわたしを心配そうにのぞきこむ。わからないと投げ出したくなったり、早急に答えを決め込みたくなったりしたとき、まだわからない、まだわからないよ、と問いは言う。

そして問いは、年も所属も時代も超えて、見知らぬわたしたちをつなぎとめてもくれる。労働に疲れ、ぐったりと身体を電車の座席にあずけているとき、ふと13歳の少年の問いが目の前に立っていることに気がつく。彼とはたった一度しか会わなくても、こうして同じ月を見るように、同じ問いを考えることができる。

だから、たとえ問いに打ちひしがれても、それでも問いとともに生きつづけることを、わたしは哲学と呼びたい。哲学は、慣れ親しんでいる世界を粉砕し、驚きをあたえ、生を不安にさせて役目を終えるのではない。息切れをして、地上に倒れてもいい。心細くなって、頭を抱えてもいい。それでも、ひとびとと、問いとともに生きることをやめないことだ。

今日の夜も、テレビからはクイズ番組が流れている。制限時間がせまっているのに、回答席からなかなかどかずに、しがみついてもがいているひとがいる。周りから、パスしな！パス！　と声がかかる。だが彼はその問いを頭にめぐらせて、あきらめずに、考えている。

いつまでも、いつまでも、彼は考えている。

祈る

暑い日だった。教室の中は暑さと湿気でうんざりするような空気が漂っていて、彼らにとっては望んでもいない「哲学」の時間が、その不快感を後押ししているようだった。問いは惰性で決められた。「なぜ学校に行くのか」といったような、特に誰も問いたいとも思っていないようなテーマが、何となくの流れで決定した。わたしは慣れない男子校での哲学対話に戸惑いながら、生徒たちとともに輪になり、こわごわと対話を始めた。

学校に行きたいやつは行けばいいし、行きたくないやつは行かなくていい、というようなことを生徒たちは代わる代わる繰り返した。肺に入ってくる空気は湿っぽく、不愉快に熱っぽいにもかかわらず、わたしたちの手足は冷え切っているように思えた。

「自由にすればいい、行きたくないやつは行かなくていい。そいつの選択、そいつの自由だから」。誰かが、冷めた声で繰り返している。水が飲みたいな、と思う。なぜ学校は授業中に水を飲んではいけないんだろう。「自分のことは自分で決めるし。自由だし。勝手にやればいい」。ああ、暑いな、うんざりする。自由、自由、自由、と遠くなる頭の中で生徒たちの低い声がこだましている。「自由だよ、自由。それで困っても、それは自己責任」「そう、だよな、それはもう自己責任なんだから」「そいつの選択なんだからさ、学校行かなくなって困ったんだったら、自己責任だよ」。

じっとりと汗で濡れる背中、うだるような湿気。だが、ひどく寒い。寒くて、寒くて、乾いている。「そのひとに何か事情があって学校に行けなくなったとしても？」とわたしはかからからの喉から、熱い息を吐き出して言う。「そう、だって選択したのは自分だから。困っても、自己責任」。答えた生徒の制服のシャツの白さが、目の中に入ってちかちかする。アイロンのかけられた白いシャツ。ぴかぴかの校章。

彼らは、ひどく蒸し暑い教室の中で、身体をこわばらせている。ずっとずっと、長い間凍えていたかのように、身体をひしゃげさせて同じ言葉を繰り返している。

たとえばわたしは、飲み会が始まる瞬間に、乗り換えアプリで帰り方を検索しているような人間だった。かかわるということに対して常に消極的で、自分の存在を場から引き算することが得意だった。それは、相手の自由を尊重することでもあり、わたしなりの思いやりというつもりでもあった。

哲学対話の場をひらいているひとや、哲学研究者と話すと「昔から考えることが好き」「おかしいと思ったことは先生によく訴えていた」といった話をよく聞く。だがわたしは、ほとんどのことはそのまま飲み込む方が多かったし、考えること自体を楽しいと思ったことはあまりなかった。哲学対話は自分から始めたわけではなく、半ば強制的に場に参加したことがきっかけだったし、ひとと話すことはいまでも苦手だ。

哲学対話をいやいや始めて少し経った頃、参加していた大学の対話研究会で、ファシリテーターは何もしない影のような存在になるべきだと、あるひとが主張した。実際その考えの通り、彼の進行する対話では、彼は最初から最後まで沈黙しており、時間が来てふいに終わるというものだった。たしかに、対話の進行はファシリテーターひとりがすべて担うものではないし、管理しすぎるのもよくない。介入の塩梅はいつも議論になるところだ。だが、ある先輩がその主張に対して、「いや」と声を突っ込んだ。

「自由の尊重と、無責任な放棄は違うんじゃないですか」

わたしは、自分の心臓をぐっと握られたような気がしてたじろいだ。自分の生き方を指摘されているような気がして、どくどくと血流が動くのを感じた。

自由、あなたの自由。このおそるべきもの。

「考えることでひとは強くなる」と思われている。主体的に自己決定できるようになると言われている。また、対話をすることでひとびとと協働する「力」がつき、社会で成功すると信じられている。

哲学対話に乗り気じゃない生徒や学生に、大人たちは「社会に出ても役に立つよ」「就活でも使えるよ」と励ますように言う。考えることは、あなたを成功に導き、安定が手に入ることとでも言うように。

だが、いざひとびとと集まってじっくり考えてみると、気がつくことがある。考えるということは、むしろ弱くなることだ。確固たる自己というものが、ひどくやわらかくもろいものになって、心細くなる。わかっていたつもりのことが、他者に問い返されて、わからなくなってしまう。見慣れたものが、ぐねぐねとゆらいで、不思議な何かに姿を変えてしまう。

対話をするとき、その主体はむしろ曖昧になる。わたしは何が言いたかったんだっけ、何を考えているんだっけ。合理的に考えようとすればするほど、そうではない思考がむしろ際立ってくる。自分ってこんなにも考えるのが下手だったのか、と驚く。

目の前のあなたが問いかけてくる。問いかけられて、はじめてわたしは考えさせられる。思わぬことがつらつらと口から出て、目の前にたくさん落ちたことばを見て、ああ、これを自分はこんなことを考えていたのだとはじめて気がつく。口からこぼれ落ちたことばたちは、見慣れぬものもたくさんあって、わたしだけがこの考えを掘り当てたのではないことがわかる。この考えは、この場によってまさにいま、ここでつくられたものであり、ここにいるひとびと全員の手によってつくられたものでもある。

だからわたしたちは、ひとびととともに考える。わたしたちは、ひとりで生まれて、ひとりで死んでいく。だがわたしたちは、世界の中にふいにあらわれ、世界とともに生きる。世界との終わらない関係の中で、他者に呼びかけられている。

「自分には何か明確な主張がないんです」とあなたは言う。心細げに、申し訳ないというような表情で。だから、哲学なんかやる資格はないんです、哲学対話の場に行く資格はないんです、社会問題にかかわる資格はないんです、とかなしげに微笑んでいる。

だが、誰かと話したり、何かに呼びかけられないで明確な主張、明確な判断ができないのは当たり前だ。わたしたちはそもそも、何かをひとりでに明確に持つことは可能なのだろうか。理性的に判断し、何かを選び取り、前に進んでいく強さを、常に持っていたのだろうか。

　それに対して、社会はその問いをゆるさない。もっと主体的に考えることを。もっとひとと協働する力を。コミュニケーション力を。この不安定な時代を「生き抜く」力を。自分で考えて行動し、責任を引き受けていく強い個人を。自立し、何ものにも頼らず、無駄を省き効率よく、そしてうまく生きる技を。いつまでもいつまでも、走りつづけられる強靭な身体を。

　わたしたちはそれぞれの仕方で自分の人生を生き抜いていく。だが、生き抜くことが目的になると、生はとたんにレースに様変わりする。レースの終わりを告げる笛は鳴らされることはない。わたしたちは、レースに参加するも、参加しないも、あなたの自由に委ねられている、とだけ告げられている。**そう、自由なのだ。すばらしき自由！**

　10代の頃、問いにならない問いを抱えて立ち尽くしていたとき、世の中にはどうやら「考える」ということがあることを知った。それは「哲学」と呼ばれていて、当たり前だと思われていることに対しても問いを投げかけていいらしかった。

　古本屋で手に入れた埃っぽい本に、それは書かれていた。それをわたしは高校の人気のないラウンジで読んだ。それまでわたしは、奇妙な言い方だが「考える」ということが、自分にゆるされているとは思っていなかった。

先生が通りかかり「あら、いたの」とつぶやいた。「あなた一人だけがここの部屋を使っていたら、電気代と暖房代がもったいないから、教室で読みなさい」と先生は言った。はい、とわたしは上の空で言った。先生は満足して、電気と暖房を消し出ていった。

広いラウンジがしんとする。冷え冷えとした空気がドアから差し込んできて、わたしの身体を冷やしていく。

だが、わたしは寒くはなかった。むしろ、指の先の先まで、熱が戻っていくのを感じるようだった。


わたしの人生は、わたしが決められて、本当だと思っていることにも、本当に？　と問うてもいいのだ、と思った。見知らぬ誰かや、得体の知れない何かが、何もかもを決定したとしても、わたしはそれに抗ってもいいのだ、と驚いた。電気が消され、ドアが閉められた暗いラウンジで、わたしは誰よりも自由だと感じた。何の権限も、役割も、ここにとどまりつづける権利さえないにもかかわらず、わたしは自由だった。

わたしはわたしの人生が、小さな手の中にかえってきたことを感じたのだった。

それは、本当に、本当に、やわらかく、不安定な自由だ。決して、強く合理的で、全てを自己決定し実現していく主体が持つ自由ではない。17歳の高校生が手にした、自分の生の確かさの感覚と混沌に満ちた自由だ。

だからこそ、ひとびととともに考える場では、あなたはあなたでご自由に、とうつむくのではなく、あなたがもっと自由になるために、あなたを気にかける。わたしがもっと自由になるために、わたしを気にかける。ともに考えるということ自体を、気にかける。

わたしは自分の人生を自分で選ぶことができる。それと同時に、他者との、世界とのかかわりの中で、わたしは考える。不思議なことに、両者は対立しているようで、ゆらぎながらつながっている。

わたしは祈る。どうか、考えるということが、まばゆく輝く主体の確立という目的だけへ向かいませんように。自己啓発本や、新自由主義が目指す、効率よく無駄なく生をこなしていく人間像への近道としてのみ、哲学が用いられませんように。それらが見せてくれる世界は、甘い甘い夢だ。いつか、その甘さはわたしたちを息苦しい湿度の中で窒息させる。

誰かが話す。わたしが応答する。あるひとが問う。誰かが応答する。それに触発されて、また誰かが話す。わたしが考える。わたしたちが考える。

まばゆく、わかりにくく、不安定な自由。世界に傷つけられ、世界に笑わされ、世界に呼びかけられ、世界とともに、わたしたちは考える。ちっぽけで祝福に満ちた自由のために、わたしたちは考える。

2

手のひらサイズの哲学

爆発を待つわたしたちの日常について

スマホを取り出そうとバッグをのぞき込んだら、持ち物が茶碗蒸しまみれになっていた。財布も。MacBook Air も。使い古された雑誌も、このあと提出する大事な書類も、とにかくすべてが。卵だ。卵だ。卵だらけだ。

理由はすぐに思い当たった。研究室で隠れて食べようとコンビニで買っておいた茶碗蒸しがバッグの中で破裂していたのだ。思わず、なんで、と声が漏れてしまう。目の前をぴゅうと電車が走り抜けて、駅員さんが白線の内側にお下がりください、と言う。

あてどない思いで雑誌を取り出すと、雑誌には銀杏がべっとりと張り付いている。指でぬるりと引きはがすと「哲学」という文字があらわになった。哲学研究。これがわたしの仕事なのだ。

哲学って何するんですか。専門を聞かれ答えると、必ずされる質問だ。質問してくれたひとは「哲学です」と言うと、たいてい「て、てつがく」と口の中でつぶやき、失礼のないようにと怪訝な顔を少し整えて「哲学って何するんですか」と聞いてくれる。すると、哲学研究者たちは、はい！　アプリオリな能力としての純粋構想力が産出する図式をめぐる議論です！　などと、嬉々として自分の専門について語りだしてしまう。テツガクってそもそも何ですか、という質問であったにもかかわらず。

本屋に行き哲学のコーナーを見ると、事態はより悪化する。『純粋理性批判』のように、いかにもテツガクというものもあれば、『国家』のように壮大すぎて結局内容がわからないものもある。かと思えば、『存在と時間』『差異と反復』『物質と記憶』など、青春アミーゴの修二と彰さながらコンビ名っぽいものもある。地元じゃ負け知らずだったかもしれないが、いずれにせよ、よくわからない。

だから、多くのひとに哲学はあまり受け入れられていない。哲学者は変人を気取っていると思われる。難しい用語を並べ立て悦に入っていると解釈される。もしくは、役に立たないことに時間を費やしていると冷笑される。

たしかに、哲学の用語は難しい。純粋悟性概念とか。現象学的還元とか。でもそれってほかの分野も同じじゃん、とも思う。金融系の友人から「会わせたいひとがいるんだけど、空きスロットある?」とメールが来て、パチンコに手を染めたか? と思ったくらいだ。

専門用語とは、物事を円滑に進めるための、ただの道具だ。哲学者が何百ページもかけて説明したことが、たった一言「超越論的統覚」で済むなら楽ちんだ。だから、まず用語の難しさで哲学に壁を感じているひとがいたら、専門用語は、ギャルが「精神が非常に高揚している状態」を「テンアゲ」で済ませるみたいなものだと理解してほしい。

その程度のことだ。

哲学は意外とシンプルである。哲学とは、「なんで? と問うこと」だからだ。だから、学問というよりは、行為や営みと表現したほうがいいかもしれない。

ある哲学者は、哲学することの根源は「驚異と懐疑と喪失の意識」であると言った。ひとは、びっくりしたりつらいことがあったりすると、「なんで?」と自然に問うてしまう。要するに、「は？（驚異）マジで？（懐疑）つら（喪失）」から哲学は始まるのだ。そうなると、わたしたちは、わりと簡単に哲学できるかもしれない。

だったら、問いは別に高尚である必要はない。「なんで生きているのか」「なんで世界は存在するのか」なんて問いだけじゃなくて、「なんで社外でも同僚とＬＩＮＥでつながらなきゃいけないのか」「なんでパートナーがいて幸せなのに浮気したくなるのか」とかでもいい。茶碗蒸しの爆発ですら、哲学が開始される合図なのだ。

それに、哲学は意外とわたしを助けてもくれる。「なんで」と問うことは、その問題から、わたしを引き剝がす試みだ。ひとは苦しんでいるとき、何に悩んでいるのかわかっていないことが多い。漠然とした、説明できないもやもやに、身体はむしばまれていく。苦しみはぴったりとあなたに寄り添っているから、その姿を見ることはできない。だが、「なんで」と問うことによって、苦しみを、とりあえず目の前に座らせることはできる。そうすれば、苦しみがどんな顔かたちをしているのかがわかる。確認できる。まじまじと観察して、お茶でも出してあげよう。早く帰ってと説得してもいいし、そのまま一緒に暮らしてみても案外面白いかもしれない。少なくとも、得体の知れない不安感は、少し消えるはずだ。

なんで、と言うことによって、わたしたちはいつでも哲学を始めることができる。なんて言いつつ、あの日の飛び散った卵まみれのバッグの中身を思い出す。思わず口からこぼれた「なんで?」というつぶやきも。雑誌に張り付いた銀杏の色も。

もしかしたら、わたしたちは、自分の意志で哲学を始めるというよりも、始め「させられる」ことのほうが多いのかもしれない。

日常は、哲学の起爆剤で満ちている。

叫び

時計がこわい。みんなは、あんなおそろしいものをよく腕に巻き付けていられるな、と思う。中学に入って腕時計をつけることが学校で推奨されたけど、わたしは秒針がカチリカチリと動くことがこわかった。自分のあずかり知らぬところで未来が押し寄せるということが、わけがわからなすぎておそろしかったのだ。テレビをリアルタイムで見るよりも、録画で見るほうが好きだ。ぴるぴるぴるぴるぴるぴると番組を戻していると、わたしは時間の不可逆性を乗り越えた気分になる。ひとびとが奇妙なダンスを踊るように身体をくねらせて、時間が巻き戻っていく。

「時間論」は、哲学の一大ジャンルだ。時間とは何か、客観的な時間とは存在するのか、過去とは何か。たくさんの哲学者たちが、さまざまな議論を展開させている。

だが、「時間が流れる」ということについて考えようとすると、小学生の頃少しだけプレイしたテレビゲームを思い出して、その途方もなさにぼうっとする。ゲームでは、わたしがコントローラーを操作して主人公を動かし、アイテムをゲットさせたり、ジャンプをさせたりする。彼はわたしの言うことを聞いてくれる。右に左にと自由自在に主人公は動き回り、冒険はつづいていく。しかし、いくつかステージをクリアし、次のステージに画面が切り替わったとき、事態は一変する。

主人公がいきなり、猛スピードのトロッコに乗っているのだ。急いでジャンプボタンや、戻るボタンをガチャガチャと連打する。だが、主人公はトロッコに乗ったままだ。トロッコは前方に、おそろしいスピードで進んでいく。わたしにゆるされているのは、障害物を避けたりするための方向ボタンの操作だけ。

未来がなだれ込んでくる、という状態をはじめて目に見える形でわたしは理解した。過去には、決して戻ることができないという、そのことも。主人公はそのまま舵を取りきれずに、引きちぎれた線路に進んで、火の海に沈んでいく。握りしめていたコントローラーは、汗でびっしょりと濡れていた。

もう一つ、思い出すことがある。高校2年生の、ある日のある授業中、先生がふと「来年のいま頃はセンター試験ですね」と言った。先生はおそらく「そんなことわかってるよ」というけだるい空気が流れることを予想しただろう。だが、数秒の沈黙のあと、教室から切り裂かれるような叫び声があがった。

おぎゃあああ、おわあああああ、いやだあ！　授業なんかしない!!　授業はしない!!

友だちのカヨコちゃんだ。机にしがみついて、足をじたばたさせている。先生やクラスメイトは、高校生と思えない稚拙さと狂乱に、目を丸くして驚いている。

それを見たわたしは、真っ当な反応だ、と思った。

カヨコちゃんは、来たるべき未知を前にしておそれおののき、とりあえず「いま」を消費することに決めたのだ。「しない」のは「受験」なんて漠然とした未来じゃなくて、「授業」という「いま」である。「現在」をもてあそんでぼろぼろにすり切れさせれば、その分未来はぼやけて見えにくくなる。すり切れた「現在」に留まりつづければ、わたしたちは永遠に不老不死のままだ。シテイコウスイセンも、エーオーニュウシも、イッパンニュウシコウキニッテイもわたしたちを侵すことはできない。
騒ぐカヨコちゃんを尻目に、何人かは単語帳をひらいて、自分の未来のために個人勉強を始める。単語帳には、色とりどりの付箋が貼られていて、きらきらと西日を反射させている。彼女たちは決して、「いま」にたくさんの折り線をつけて、丸めて、捨ててしまうようなことはしないのだ。
だが、わたしもまた、カヨコちゃんと一緒に心の中で声を張りあげる。

おぎゃああ、おわあああ。

わたしたちは、トロッコに乗っているのだ。

それから紆余曲折あり、わたしは大学の哲学科に入学した。いろんな授業を受けても「時間」とは何か、結局わからなかった。いくら言葉を重ねても、その生々しい「時間」の不思議は、汲み尽くされることはなかった。その代わり、同じように何かにふるえているひとを見つけることができた。なんで世界は「ある」のか。なんで気がついたら生きちゃってるのか。なんで死んじゃうのか。

わたしたちは、カビ臭い研究室で、こわい、こわいと繰り返しながら大声で笑った。みんなにもそれぞれ、こわいものがあったのだ。そしてきっと、過去の哲学者たちも、世界のわけわからなさに思わず立ち止まり、呆然としたのだ。

哲学とは、深く何かを考えたり、論理的に思考を掘り下げたりする。だが同時に、世界の不思議にひたすらに身をふるわせ、唖然と立ち尽くすこともまた「哲学」であってほしいと思う。時にわたしたちは、冷静に思考を掘り下げるだけじゃなく、世界の途方もない不思議に、カヨコちゃんみたいな叫び声を、ただあげてもいいはずだ。

横断歩道で、幼稚園の制服をきちんと着た少年と、そのおじいちゃんが、手をつないで信号を待っている。孫がかわいくてかわいくて、とろけそうなおじいちゃんは「いちばんこわいものって何だろうね」と問いかけている。2人をぐるりと取り囲むように、少年の両親とおばあちゃんが立っていて、微笑ましく見つめている。

少年は、まっすぐと前を向いて、無言である。

「地震かな、雷かな？　火事かな？　それか、こわいのは、じーじかな？」

じーじなわけないだろう、いまにも食べちゃいそうなほどかわいがっているのに、と思ったが、どうやら、こわいものを形容する「地震雷火事おやじ」ということわざを覚えさせたいようだ。じーじ、という言葉に、両親もどっと笑う。

すると、少年は前を見すえたまま、突然叫び声をあげた。

「死だよ死！　いちばんこわいのは、死！」

ぴかぴかの声が横断歩道に響き渡る。

凍てつくように寒い、冬晴れの日だった。

死だよ！　死！

いちばんこわいのは、死！

我思うゆえに我あれよ

「漫画家さんなんですよね？」

あるビジネスマン向けの講座にゲストとして呼ばれたとき、一人の男性に声をかけられた。わたしは声が出なかった。なぜなら、この講座は「哲学」の授業で、「哲学研究者」としてわたしの名前が宣伝されており、そのフライヤーを見て申し込みをしたひとたちが、この会場に来ているはずだからだ。男性はニコニコとわたしの顔を見つめている。

「いいえ」と言ったら彼はがっかりするだろうか。かなしむだろうか。なぜわたしが漫画家だと思ったのだろうか。どんな作風なんだろうか。永井豪と勘違いして来てしまったのか。

いろんなことが頭を駆け巡っていると、職業なんて表面的なことを超えて、自分が誰で、何をしていて、どこから来たのかわからなくなった。まるで自分の中から、あらゆる音が消えてしまったみたいだった。

わたしはバカみたいな顔をして黙ったまま、果てしなくからっぽだった。

自分のことを自分で見ることはできない。これはわたしが幼い頃に自分で導き出したことの中で、「ひとは死ぬ」ということの次に衝撃的な事実だった。物理的に見ることもそうだが、ひとは自分のことをあまりよく知らない。他者よりも他者なのが自分である。だからわたしは、自己紹介をするように、と言われると何が「自己」で、何が紹介されるべきなのかわからず、露骨にあたふたしてしまう。

小学生の頃流行ったプロフィール帳。やけに馴れ馴れしいキャラクターたちからの質問(好きな食べ物は? 好きなひとは? チャームポイントは?)に、わたしたちは匂いのついたペンやラメ入りのペンで、汚い字を書き込んだものだ。

プロフィール帳は、さまざまなデザインがあるが、大抵「性格は【　　】で、みんなからは【　　】って呼ばれているヨ!」と印刷されている。後半は各々ニックネームや、特に呼ばれてもいない名前などを書くわけだが、前半の「性格」の部分に、ほとんど全員が「明るい性格」と書くのが面白い。

なぜみんな、判を押したように「明るい」と書いていたのだろうか。わたしたちは自分のことがうまく見えない。自分の性格なんて、小学校低学年で、わかるわけがない。だからこそ「明るい」という定型文句に頼ったのだろう。日常生活を営みながら「わたしって明るいなあ」なんて振り返ることはあまりなさそうだ。

いや、そもそも、わたしたちに「わたし」なんてものはあるのだろうか。

「我思うゆえに我あり」。哲学者デカルトの有名な言葉である。

はじめてこの言葉を見たとき、わたしは中学1年生だった。その言葉が含意することは全くわからなかったが、なんだかやけに感動して、その頃なぜかクラスで流行が再燃していたプロフィール帳に、「好きな言葉」は「我思うゆえに我あり」と書いた。ことわざだと思っていた。バカだった。

だが、自己紹介もうまくできないわたしは、「自分があるって思えば、自分はある」という意味だと勝手に解釈して、自身の標語にしようと思った。バカだった。

それに対し、古代ギリシャの哲学者ソクラテスは「汝自身を知れ」という言葉を標語にしていたそうだ。大学生になり、哲学科に入学してそのことを知ったわたしはそのストイックさに驚いた。自分自身のことを知れ、と時空を超えてわたしに突きつけるソクラテスは、何物にも左右されない、確固たる自分、知るべき「わたし」を持っていそうだった。

ふいに、友だちから「大丈夫だよって言って」とLINEが届く。

彼女は、それこそ性格は明るく、自分で自分のことを肯定できる健全な精神を持っている。しかし、時に「天才って言ってください」「励まして」「もうだめだ」などといったメッセージも送ってくる。これは別に彼女が「普段は強がっているが、実は弱気な面を持っている」というわけではない。

ホルモンバランスが崩れているだけである。

性格じゃない。ホルモン。

「明日友だちとホルモン焼き食べる無理難題なイベントがある。わたしのホルモンがいかれてんのに」

友人が言う。

わたしたちはホルモンの奴隷なのだ。

わたしは、あまり感情の起伏が激しくないほうだと思う。心は穏やかでありたいし、いやなことがあってもわりと受け流すことができる。だが、先週のわたし、ソファで洗濯物にまみれながら号泣していた。

理由は、花瓶に刺さっている薔薇が、少し右に寄っていたから。

靴下が片方、ソファからぽとりと落ちたから。

ソファに座ったまま、リモコンを取りたいが、立ち上がらないと取れないから。

なぜあるものはあり、ないものはないのか、わからないから。

一通り激昂し、号泣し、泣き疲れたあと、スマホを手に取り、アプリを起動させる。ホルモンバランスを管理する「ルナルナ」というアプリが、今日のわたしの「指数」は20点満点中3点であることを告げてくれる。「ココロ」という項目をタップすると「周りのひとへの言動にもイライラが伝わりそうです」など、適格なお告げも書いてある。

次の日には、何食わぬ顔で洗濯物をたたんで仕事に行った。

ホルモンに支配されるわたしもわたしなのだろうか。

わたしとは、一体、何なのだろうか。

汝自身を知れ、と突きつけるソクラテスも、我思うゆえに我あり、と断言するデカルトも、かっこいいなと思う。わたしは「我思うゆえに我あれよ」とつぶやいて寝るだけだ。

泣き疲れた夜、わたしは夢を見た。

わたしは、ソクラテスにプロフィール帳を書いてもらっていた。彼は気むずかしい顔で、長い時間をかけて、キャラクターの質問に対する返答を書き込んでいる。いつまで待っても終わる気配がない。しびれを切らしたわたしは、ソクラテスの肩越しにプロフィール帳を覗き込む。

「明るい性格」とそこには書かれていた。

道徳を揺さぶってごめん

教科書を忘れて、授業に出ている。先生が「91ページをひらいて」と言う。わたし以外の受講生が、がさごそとバッグから教科書を出して、ページをめくり出す。わたしには教科書がない。

少し嘘をついた。教科書を買うのを忘れて、授業に出ている。

その本が、自分とは全く関係のない専門書だからとか、ページ数も極端に少ないからとか、それなのに3800円もするからとか、担当の先生が執筆しているという理由で買わされているのではないかと疑っているからとか、それでも買おうとレジに持って行ったらお金が足りなかったからとか、さまざまな理由があったわけだが、とにかくわたしは教科書を持っていない。

そして、理由はたくさんあるにしても、教科書を持たずに授業に出るということは、受講生としての義務に反している。義務を果たしていない受講生ができることはせいぜい、教科書を持っているふりをするか、ノートをはげしく取ることで学習意欲を示すかのどちらかである。


次は、110ページをひらいて、と先生が言う。

鞄に入っていたチラシの裏に「110ページ」と、とりあえず書き込んでいたら、チラチラとこっちを見ている誰かの気配を感じた。

隣に座っている男性が、心配そうにこちらを見ているのだ。教科書を右隣(わたしだ)に少し寄せたり、やっぱり引っ込めたり、あえて閉じてみたり、と落ち着かない。

おそらく彼は、わたしに教科書を見せるべきかどうか、葛藤しているのだろう。だが、彼はわたしと別に知り合いではない。先生の声だけが響く中で、見知らぬ隣人に「見ますか?」と声をかけることは、勇気のいることだ。

先生が教科書を音読してから、3分ほど経過。

彼は、いまさら声をかけるのもどうなのか、とタイミングについても考え始めたようだった。いっそのこと、とでも言うように自分の腕の中に引き込み、熱心に読み始める。だが、それはそれでどうなのか、とでもいうように再びわたしの顔をチラチラと覗き込む。

わたしは彼の挙動を肌で痛いほどに感じながら、「道徳をゆさぶってごめん」と思った。彼の中にはおそらく、困っているひとを助けるべきだ、という道徳がある。だが同時に、受講生としての義務に反している、ノートすら持っていない見知らぬひとに手を差し伸べるべきなのか、という疑問もあるだろう。

申し訳なさが極まってしまったわたしは、思わず机に突っ伏してしまった。ごめん！　やさしいひと！　わたしは寝ているひとなので話しかけなくて大丈夫!!

真っ暗な腕の中でじっとしていると、左隣で、ふっと何かが緩むのを感じた。彼はきっと安心して、このあとも授業を受けることができるだろう。これで、彼を苦しめずに済むだろう。わたしはぼんやりと、これでいいのだ、と頭の中でつぶやいた。

道徳的なふるまいをしているひとは美しい。街を歩いていて、誰かが何かを落としてしまう。後ろを歩いていた男性が、考えるよりも先に走り出し、何かをぱっと拾い上げ、持ち主のところへ駆けてゆく。落としましたよ、と声をかけ、そのまま名乗りもせずに歩き出す。

何という無償の行為！　ベンチでその様子を見ていたわたし。ぶわわわっと涙があふれる。向こうでは、信号がない横断歩道で、車がいつまでも途切れない歩行者を待っている。ある女性が、それに気づき、足を止めて車に「どうぞ」と合図する。運転手は、手を挙げて「ありがとう」と微笑む。何という損得を超えた純粋な親切！　ふたたび、わたしはぶわわわっと涙をあふれさす。一緒にいたひとが、泣きすぎだよと呆れている。

ある倫理学のゼミで、おばあさんに席を譲るという行為についての話になった。先輩たちや先生が、熱心に議論しあっている。

永井さんはどう思いますか、と不意に話をふられてしまう。

席を「譲る」という行為をなぜわざわざするのか、それだったらそもそも座ることをせずに、席を自分以外の他者に開放しておくことこそ善ではないか、というようなことを、もたつきながら言った。わたしは、おばあさんに自分の道徳的なふるまいを「見せる」ことを恥じていたのである。

へえ、とかふうん、とか先輩たちが反応を示した。頭の中で何かを整理しているのか、宙を見つめている後輩もいる。

いいえ!!

突如、鋭い声が響く。先生の声だった。

永井さん、それはコミュニケーションの拒絶です！
あなたは倫理的空間への介入を拒んでいます！

いつもは穏やかな先生が、真剣なまなざしでわたしを見つめていた。誰も言葉を発することなく、ぴんと空気が張り詰めた。

先生の背後にある窓の向こうからは、萌え立つ新緑の匂いがした。

見知らぬひとと、コミュニケーションすることは難しい。できれば、よく知っているひとたちと一緒によく知っているものを共有したり、自分一人だけで何かに没頭していたい。しかし、落とし物を届ける男性も、車に道を譲った女性も、彼らに共通する行為は、他者とのコミュニケーションだった。他者に、かかわろうとする強い意志と、その無償性だった。

そして、教科書を見せてくれようとした彼も、わたしにかかわろうとする仕方で、わたしとコミュニケーションしていた。道徳に揺さぶられながら、わたしとかかわろうとすることで、かかわっていたのだろう。

だが、わたしはそんな空間があらわれる契機というものを、ぱつんと切断してしまった。電車の座席に座らずに、ドアの端っこで身を縮ませていたあのときと何も変わらずに。

わたしは、机に突っ伏して、教科書のない授業をやり過ごしながら、先生の声を頭の中で何度も響かせて、意識をゆっくりと手放していく。

いいえ、永井さん！　それはコミュニケーションの拒絶です！

新緑はますます匂いを強くして、わたしを包み込んでいた。

ドンドコドンドコ
ドコドコドン

自分は世界に馴染めていない気がする。

いろんなものがでかい。机は高すぎるし、椅子にはよじ登らなければならない。ホワイトボードは大きくて届かないし、ファミレスのスプーンは口からはみ出る。左利きのひとは、右利き用に作られた社会に生きるストレスで、早死にする傾向にあるという。世界に馴染めていないわたしも早死にするだろうか。

子どもが乗っている自転車によく轢かれる。小さな自転車は、決してスピードを出しているわけではない。むしろよろよろと揺れながら、ゆっくり正面から向かってくる。目はしっかりと合っている。子どもはわたしを、わたしは子どもを見ている。そして、ゆっくりと轢かれる。犬にもよく噛まれる。横断歩道で信号を待っていると、小さな犬がなぜかわたしの足首にかぶりついている。飼い主が、すみませんとリードを引っ張る。思わずこちらも、すみませんと謝ってしまう。かわいい犬は、牙をむき出しにしてまだわたしに怒っている。

そんなことがあると、落ち込むというよりも「バレた」と思う。子どもも、犬も、わたしが世界に馴染めていないことに気づいている。本当に鋭い奴らなのだ。

世界に馴染めない感覚は、社会やコミュニティに馴染めない、つまり人間関係がうまくいかないということではない。世界という秩序に対して、自分がうまく嵌まっていないような感覚と言ったほうが近いのかもしれない。

わたしは、わたしであることを手放して、世界ともっと触れ合いたい。

そう願うとき、わたしはよく右手で、左手首の側面をこすっている。わたしの身体を縁取る輪郭を、消しゴムで消すようなイメージだ。輪郭が消された手首の端から、わたしの中身がどっとあふれ出す。肉体が、色が、感情が、考えが、どばどばと流出して、わたしはとうとう単なる1本の線になる。線となったわたしは、世界と隔てられることなく、ゆったりと浮遊することができるだろう。そんなことを夢想して、うっとりする。

だがわかっている。

それは無理だ。わたしは線にはなれない。

しかも、そんな夢想をするときはたいてい、ひどく緊張したり、何かに重圧を感じていたり、何かを負わなければならないと感じているときだ。ぐったりと疲れて満員電車に乗り込み、暗い窓に映った自分の顔を眺めながら、左手首をこすっている。わたしが「わたし」であることが必要とされていて、しかもそれがうまくいっていない。どこかずれている。「わたし」であることを要求されているのに、世界からわたしが滑り落ちている。もしかしたら、わたしがわたしであるという責任から、逃れたいだけなのかもしれない。

反対に、何かに没入しているひとはすばらしい。

線になることと、没入は似ているようで実は全く逆だと思う。何かに一生懸命打ち込んでいるひとは、そのひとがそのひとであることでみなぎっている。生き生きとそのひとは、そのひとであることによって世界に存在できている。サッカーに打ち込むあのひと、絵画を描くあのひと、研究をするあのひと、彼らは皆、自分を失うほど集中しているように見えるが、そうではない。彼らは決して自分を失ってはいない。彼らが何かに没頭することによって、彼らは彼らとして光り輝くのだ。「プロフェッショナル」。「情熱大陸」。密着取材を受けている彼らの、静かに熱く集中する精悍な横顔は、はじけるエネルギーに満ち満ちている。

それに対してわたしは、自分をすっかり手放してしまっている。ただの空洞に、どっと世界が流れ込んできているだけだ。わたしがわたしであることは、限りなくゼロである。「情熱大陸」に密着されたらどうしよう。わたしの横顔は、締まりがなく、空虚で不気味だろう。顔というものをどこかに落としてしまった、のっぺらぼうに映っているかもしれない。

ある昼下がり、喫茶店から出ると、駅前で和太鼓のパフォーマンスが行われていた。赤い衣装に身をつつみ15名ほどが迫力ある演奏をしている。和太鼓に心を躍らせたわたしは、人だかりをかき分け、ちょうどスペースのあった3列目あたりに滑り込んだ。

最高の演奏だ。精悍な顔つきの青年たちが、生き生きとバチをふるっている。

体が振動でびりびりしながら、激しく感動する。頭の中のもやもやが、どんどん消失していくのを感じる。世界とのズレや、まなざし、そんなものは何も問題じゃなくなる。手首をこすらなくても、わたしはわたしから気持ちよく抜け出ていく。思考や感情は、言葉の形をとらなくなり、ドンドコドンドドコドンドコドコドコドンドコドン、と音だけが響いている。わたしはもはや太鼓なのだ。

ふと、後ろから何かが聞こえるのに気がついた。

ふりかえると、コンビニ袋を提げたおじさんが、口をぱくぱくと動かしている。じっと耳をすませると、おじさんは「ドンドコドンドコドンドコドンドコドンドコドン」と小さな声で呟いている。おじさんもまた、太鼓だった。

周りを見渡すと、おばさんも、おにいさんも、子どもも、犬も、みんな太鼓になっている。ドンドコドンドコドンドコドンドコドンドコドン、になっている。

それはゆるみ切った締まりのないものだったが、ひどく幸福そうな横顔で、わたしは少しだけ安心しドンドコドンドコドンドコドン。

目撃

わたしたちの社会には哲学が足りない、と嘆くひとがいる。たしかにわたしたちは、せかせかと目の前の仕事をこなしているばかりで、自分自身は何者か、自己とは何か、なぜ生きるのか、立ち止まって根本的に考えることがない。「汝自身を知れ」と紀元前を生きる古代ギリシャの哲学者たちは言ったが、どちらかと言うとわたしがいま知りたいのは、洗濯物の生乾き対策や、節税の方法、楽天ポイントの効率的な貯め方である。

日常に刺激が足りない、と憂うひとがいる。

平坦で変化がなく、ただいままでのことを積み重ねるだけの日々は退屈かもしれない。それだからひとは、ジェットコースターに乗ったり、フェスに行ったり、ぞくぞくするような体験を追い求める。スリルを味わいたくて、犯罪に手を染めるひとすらいる。

哲学も刺激も、日常や社会生活とは無縁なもののように思える。だが、わたしはあえて言いたい。哲学的で、刺激的な空間は、実は日常の中にこそある。あふれかえっていると言ってもいい。その中のひとつに、「美容院」がある。

まず「どうしたいですか？」という問いが哲学的である。

入店すると、不思議な体勢で髪を洗われ、かゆいところは、洗い足りないところは、など質問され、終わったら頭以外を覆うカバーをかぶり、でかい鏡の前に座らされる。おしゃれな美容師さんがやってきて、にっこりと微笑み、わたしに「どうしたいですか？」と優しく聞いてくれる。鏡にうつる腑抜けた自分の顔を見つめながら、わたしは考える。わたしはどうしたいんだろう、どうするべきなんだろう、わたしって何なんだろう。

「どうしたいですか？」という問いは、「どういうあなたでありたいですか？」という問いでもあり、「どういう人生をあなたは送りますか？」という問いでもある。問いはどんどん広がっていき、美容師さんの何気ない質問が「いかに生きるのか？」という根本的な問いにつながっていってしまう。

フリーズしているわたしの隣で、別のお客さんがハキハキと要望を伝えている。「汝自身を知」っている、もしくは知ろうとしているひとなのだ。「友だちにもこうしたらいいよって言われて」という言葉も聞こえてくる。しっかりと他者にヒアリングもしている。えらいなあ。隣の美容師さんは、ふむふむと聞いたあと「この髪質だとこうするのもオススメですよ」などとお客さんと対話を始めた。2人は対話を繰り返し、考えや主張を洗練させ、真理に向かって探求を始めている。美容師さんはわたしのあり方をともに考えてくれる探究者なのだ。

哲学だ。哲学が起きている。


美容院はスリリングでもある。

相手が刃物を持っている。この時点で、かなり刺激的だ。さらに美容院で面白いのは、わたしと、鏡に映る美容師さんと、鏡に映るわたし、3人で対話が行われることだ。自分の顔を眺めながら、他者と対話を小1時間つづけるという経験は、日常の光景にはありえない。しかもわたしは、なぜかてるてる坊主のようなカバーを身に纏い、身動きせず着席している。どんなに冷酷で、残忍な悪人でも、髪を切るときはわたしと同じようにおとなしく、ちょこんと座らされる。赤子のように、温かいお湯でやさしくシャンプーを流してもらう。

刺激とは、日常の経験から距離があればあるほど生じるものだ。そうなると、美容院という空間はかなりの非日常である。白分自身の顔を鏡で見つづけること。小1時間、身動きせずに他者と対話すること。他者に髪を洗ってもらうこと。どうしたいですか？　と聞かれること。哲学せざるを得ないこと。

美容師さんがわたしの髪を切る。ぽとぽとと、わたしだったものが落ちていく。不思議な光景だ。わたしが変わっていく。それをわたしは静かに目撃しつづける。

ある日、美容師さんにシャンプーをしてもらっているときに「何をされているんですか」と聞かれた。「哲学です」と答えると、彼女は「えっ」と静かにつぶやく。「それじゃあ」彼女は手を止めて言う。「心が読めるんですか」。

それはメンタリズムでは、と言いたくなるが、非日常的な体勢のためうまく言うことができない。たしかに「哲学」の認知度は低い。わたしの説明不足だ。だが、顔に乗せられたガーゼがかゆくて説明できない。その間に彼女はわたしに心を読まれまいと急に無口になってしまった。違う。心は読めない。誤解です。

ふと、もしかしたら、と思う。どんな髪型にするのか決めかねてもたつくわたしに、ゆったりと微笑む美容師さんの顔を思い出す。刺激的な非日常を体験しているわたしと、その体験の提供を日常的にこなす美容師さん。でも、美容師さんにとっても、お客さんとの出会いは、実はかなりスリリングなものなのかもしれない。

あの日あのわたしの隣に座ったあのおじさんへ

町のさびれた中華料理屋でテレビを見ていたら、隣に座っていたおじさんがわたしのザーサイを当然のような顔をして食べていた。

えっ、と思う。

ザーサイは、餃子のタレを入れるくらいの小さな皿に盛られていて、2人分にしては少なすぎる。わたしはまだ2口くらいしか食べていない。どきどきしながら隣をうかがうと、おじさんは仕事帰りのサラリーマンといった風で、おかしな様子もない。テレビをぼんやり見上げながら、ポリポリとザーサイを食べている。

ちょうどそのときテレビでは、トランプが大統領に就任したというニュースが無音で流れていて、喜ぶひとたちとそうでもないひとたちの顔がそれぞれ映し出されていた。いろんなひとが、いろんなことを言っていて、いろんな表情をしていた。お店のおばちゃんも、他のお客さんも、隣のおじさんも、何を言うでもなくそれをじっと見つめていて、気だるく時が過ぎ去っていった。

寒かったか、暑かったか、いい天気だったか、雨だったか、覚えていない。やけにのっぺりした映像と、間の抜けたポリポリという音だけが頭に残っている。

作用する、ということについてよく考える。電車で、見知らぬひとの隣に座る。そのとき必ず、自分が隣のひとの運命を変えてしまうのではないかとひどく緊張する。たとえば、隣のひとは大事な試験を控えていて、実力的には余裕で合格なのだが、わたしが隣に座ったことによって空気の流れが変わってしまい、ウイルスが入り込み、試験当日病気になってしまう。もしくは、考え事をしていたにもかかわらず、わたしが隣に座ることで集中力が一瞬途切れ、何かイノベーティブなアイディアが失われてしまう。
「風が吹けば桶屋が儲かる」という言葉がある。この世界は、思わぬ作用に充ち満ちている。小さな意図せぬ挙動が、大きな出来事を引き起こしたり、反対に歴史的な事件が、すぐに忘れてしまうようなささやかな出来事につながったりもする。

さっきまで飲んでいた缶コーヒーを捨てるために、少しだけ遠回りして歩くとき。修正テープを買うために、文房具屋に立ち寄るとき。ストロベリー味ではなく、ブルーベリー味のヨーグルトを買うとき。「へえ、そうなんだ」と友だちに言うとき。

ブラジルの1匹の蝶の羽ばたきが、テキサスの竜巻を引き起こすように、わたしの何気ない行為が、隣の誰かだけでなく、世界全体にまで影響を及ぼしていく。その途方もなさに、ときどき頭がぼうっとする。

わたしたちは無力で、無力ではない。わたしが外出するだけで、指を鳴らすだけで、電気を点けるだけで、世界は変容してしまう。そんなことを想像する。

わたしたちが生きる社会では、毎日のように悲惨な事件が起こる。

コメンテーターやネットのコメント欄には、犯人を憎悪する言葉が並べられる。犯人を厳しく罰して欲しい、絶対にゆるしてはいけない、このひとは異常者だ、と憤りがあふれる。わたしはその言葉に時にうなずきながらも、どこかでやましさを感じもする。

実行犯が億人組でそのうちのひとりが僕である可能性／岡野大嗣

犯人の顔写真が映し出されるたびに、わたしはこの短歌を思い出す。わたしが、何かしらの形で動因のひとつになっていたとしたら。実行犯と、知らないうちに静かな連帯を育んでいたとしたら。わたしたち全員が、共犯者だとしたら。望むと望まざるとにかかわらず、わたしとあなたは互いの音を響かせあっている。そんなことを考えてまた、頭がぼうっとする。

だが、幸せな想像をすることもできる。

わたしの小さな行為がさざ波を生み、デンマークの青年に幸福が訪れる。ブラジルの老人にうれしいことがある。もっと言えば、わたしが文章を書いて、どこかの誰かの世界が少し変わる。そんなことだってあり得なくはない。

作用とは不思議なものだ。連関とは不思議だ。わたしたちは皆ひどく個別的で、孤独でありながら、信じられないほど濃密に関係している。

中華料理屋のおばちゃんが、黙ってわたしの目の前に豚肉とピーマンの細切り麺をどしんと置く。相変わらずテレビではトランプの大統領就任を報道していて、わたしはこの歴史的な出来事が、どれほど複雑で多くの物事を招くのだろうと想像する。おばちゃんはつづけて、隣のおじさんにレバニラとご飯を置き、少し離れた場所に座っている男性に、レバニラとご飯とザーサイの小皿を置いた。

あれ？　と思う。

ザーサイは気がついたら、すっかりおじさんのエリアに置かれている。というか、そもそもザーサイはおじさんのエリアに置かれていたような気がする。

まさかこれ、おじさんのザーサイ？

当然のような顔をして食べるな、と思ったが、もともとおじさんのザーサイなのだから、当然のような顔をするのは当然である。トランプのニュースに夢中になって、小皿が自分のものかどうかも忘れてしまったのだ。まさかトランプも、自分の大統領就任が、日本の小さな町の汚い店でこんなみみっちい犯行を引き起こすなんて夢にも思っていないだろう。謝るタイミングも完全に逸した。

ああ。

おじさん。すみません。

だが、一人喫茶店で謝罪の言葉をタイピングしながら想像する。もしかしたらこの言葉も、この複雑で不可解な連関を通じて、届くかもしれない。

あの日あのわたしの隣に座ったあのおじさんへ。

人生のＢＧＭ

高校生のとき、当たる心理テストがあると友だちが言った。

「まず紙に1から5を書いて」

友だちはうれしそうに、わたしを含む3人に指示をし、わたしたちはいそいそと単語帳やプリント、教科書の空白部分に数字を書き込んだ。

「1と3の横に、異性の名前を書いて。2は自分の知っているひとの名前。4と5は頭に浮かんだ曲の名前を書いて。本当これやばい、まじで当たるから。書いた？」

「えー！　ちょっと待って」

「直感でいいから。考えちゃだめ」

鞄を膝にのせ、足を組んで大人っぽく微笑む友だち。嫌味のない笑顔ができる彼女は、きっと大学に入ったら人気者なはずだ。

「できた？　じゃあ答えを発表します。1が、あなたが恋しているひと。3が、恋してたけど、叶わないひと。2が幸せをもたらしてくれるひと！」

2人は、わあっと声をあげ、きゃあきゃあと言いながら手で自分の回答を隠している。最近気になる彼の名前を書いたのだろう。

「それでね、4が愛しているひとを表す曲で、5があなたの人生を表す曲なんだって。どう？」

急に静かになったなと目をやると、友人らは感動のあまり青ざめていた。

愛しているひとを表す曲と、人生を表す曲がドンピシャだったようだ。切ない気持ちをもてあましながら、相手をけなげに思いつづける歌詞が自分の人生と重なるらしい。友だちは「やっぱり」とか「やば……」などと言いながらうっとりと宙を見つめている。

ちなみに、わたしは「カノン」と書いた。

パッヘルベルのカノン。

歌詞ないじゃん。

人生にＢＧＭは必要だ。

なぜなら、人生には意味が必要だから。テーマが必要だから。物語が必要だから。

毎日を前に進めるために、人生に深みを与えてくれるような詞が必要だ。言葉をかみしめて、物語に奥行きを与えて、テーマを見すえて、わたしたちはまた生きていく。困難や苦しみの前で、ぽきりと折れてしまわないように。

心理テストも必要かもしれない。わたしたちの行為に、意味を与えてくれる。わたしは父親の名前を書いたけど。

あれから10年近く経った。彼女たちの人生に、あのときの曲はまだ流れるだろうか。


実はカノンが好きじゃない。

卒業式など式典の度にかかるあのもったりとした曲。友だちが急かすからうっかり書いてしまったが、あれがかかるだけで、ウソみたいな式典の世界が、もっとウソみたいになる。起立したり着席したりするわたしたちはフィクションを演じているみたいだし、記念講堂はやけにのっぺりとしている。埃立つ校旗、むっとした生暖かい空気、友だちの制服の匂い、ニセモノみたいな花、そして、頭の奥がぼうっとする緩慢なカノン。

カノンは全てを等し並みにする。全てを作り物にする。

ちゃんちゃらちゃんちゃらちゃらららら。
ちゃんちゃらちゃんちゃらちゃらららら。

人生のBGMにするには、意味が足りなすぎるよ。

先日、上司が横浜の老舗バーに行ったときの動画を見せてくれた。野毛と伊勢佐木町に挟まれ、風俗店に囲まれた古いビルの中にあるそのバーは、壁一面に光り輝く酒瓶が並んでいて、怪しい博物館のようだ。古ぼけた調度品、きらきらした酒たち、高熱が出た夜に見る夢のような空間。1950年からあるバーなだけあって、ジュークボックスもあるらしい。そんな場所で上司に、いつも明るい仕事仲間のAさんが、珍しく将来の悩みを吐露し始めたらしい。よほど苦しんでいたんだろう。

「そうやって真剣な悩みを聞いてたんだけど、アース・ウィンド・アンド・ファイアーのSeptemberがずっと流れてて、全然深刻さが出なかった」

上司が言った途端に、あの有名なフレーズと、ウソみたいなミュージックビデオが目の前に蘇った。カラフルで、チープで、宇宙の果てみたいな場所で、みんなが幸福そうに踊っているあのミュージックビデオ。底抜けに明るいわけではないのに、ディスコミュージックなだけあって、ノリのいい曲だ。たしかに、人生相談にはそぐわない。深刻さの極北にある。

上司にバーの動画を見せてもらう。ニセモノの宇宙船みたいなテーブルで、Aさんが真剣な表情で「別にお金があるとか、ないとかじゃなくて……」などと話している。そのバックグラウンドに爆音でSeptemberがかかる。

それを見て、思わず笑ってしまう。Aさんも笑っている。

彼らの音楽が、わたしたちの意味づけされすぎた物語を吹き飛ばす。

意味づけなんてしなくていい、ここには意味なんてない。

音楽だけがある。

わたしたちは、前に進むために、時に意味を背負い込みすぎてしまう。自分の描いた物語に飲み込まれそうになって、泣いてしまう。だけど、Septemberを聴いていると、べたべたと貼り付けていた意味づけのシールがゆっくりと、自然に剝がれていく。意味が剝がれれば、わたしたちはただそこに存在するだけだ。そこに意味もなければ物語もない。そんなもの、はじめからないんだよ、ウソなんだよ、意味なんかなくたって大丈夫だよ。

あの曲は、全てを等し並みにする。全てをニセモノにする。

だがそれは欺瞞ではない。逃避ではない。

世界はもともと、そうなのだから。

いや、そんな難しいことを考えなくてもいい。September はやっぱり何年経っても名曲で、わたしたちをどこか遠くへ誘ってくれる。もしかしたら、嫌いだったカノンも。たまには、そんな曲を聞きつづけるときがあってもいい。

だから、どうしようもなくなった日。

September をかけて、人生を踊ろう。

信じる

あまりに世の中の流れが速すぎて頭がパンクしそうになり、地元の6席しかないさびれたサブウェイでぼんやり過ごした。店外はたくさんのひとが歩いていて、一人ひとりが砂時計の砂粒のように思えてならない。行き交わないでほしい。何かがまた知らぬうちに押し進んでしまう。

そこまで目まぐるしく変わらなくてもいいのにと呟きそうになったとき、ふと百人一首で覚えた源実朝の和歌を思い出した。

世の中は常にもがもな渚こぐあまの小舟の綱手かなしも

恋愛もしくは人間関係をうたったものがほとんどの百人一首で、彼の和歌は異質だったように思う。「あなた」も「あのひと」も出てこない。実朝の言葉は独白的である。調べてみるとこんなくわしい訳が載っていた。

「この世の中が、永遠で変わらないものであればいいなあ。波打ち際を漕いでゆく漁師の小舟のへさきにつけた引き綱を引いている様子は、しみじみと心引かれることだなあ」

作者である鎌倉幕府将軍の源実朝が、26歳の若さで暗殺されてしまったのは有名な話だ。昔読んだマンガ版の日本史では、実朝は政治よりも和歌にうつつを抜かしてアホ扱いされていた。あのマンガ家がこの和歌に挿絵をつけるとしたら、鎌倉の海岸で寝っ転がったぼんやり顔の実朝を描くだろう。たしかにこの和歌は、血なまぐさい鎌倉時代の現実を直視せず「この平和な状態がずっとつづけばいいなあ」なんて脳天気に漁師を眺めていると解釈されることも多い。

だから小学生のときは、あまりこの和歌の良さがわからなかった。なんで永遠と綱手が関係あるの？　と思っていた。この歌が好きになったのは、ある雑誌で小池昌代が詩の中でこんな風に訳していたからだ。

おれが信じられるのは
あの綱手だけだ

ああ。さみしいなあ。

北条家の操り人形で、将軍に担ぎ出され、周りの人間は暗殺されていく。時代はどんどん過ぎ去り、どんどん戦が準備され、どんどんひとが死んでいく。そして彼も、兄のように母の北条家によって殺される。目まぐるしく何もかもが変わっていく中、彼が信頼できるのは、母親でもなく、家臣でもなく、友でもない。小舟をたぐりよせる、名も知らぬ綱手だけなのだ。

彼の和歌に具体的な他者が出てこないのは当然である。彼にとっては、「世の中」全てが他者なのだから。

そんなことを考えていたら、くぐもった音で店内にヴィレッジ・ピープルの「Y・M・C・A」が流れだし、しみったれ休日感が増してしまった。Wikipedia を見ると「振り付け」

という項目があり、ひとの良さそうな小太りの男性が「Y・M・C・A」を再現している。照れくさそうな笑顔、「M！」をしたときに出ちゃったお腹、背後に建つおとぎ話に出てくるような小屋、そして謎の不吉な黒い犬。誰が撮ったのか。

目まぐるしく世の中は変わる。Wikipediaもすごいスピードで編集される。情報があふれて、消えて、またあふれる。それにしても「Y・M・C・A」の振り付け項目には、「これだけは絶対伝えたい！」という強力な意志が感じられる。編纂者にとっては欠かすことのできない情報で、写真をわざわざ撮るほどに重要だったのだろう。

他人から見れば何でそんなものを、というものをわたしたちは大切にしたりする。わたしにとっての「そんなもの」が、あなたにとっては「これだけあればいい」ものであったりする。それだけで生きることができる。

掌に受ける
早春の
陽ざしほどの生きがいでも
ひとは生きられる
素朴な

微風のように
私は生きたいと願う
あなたを失う日がきたとしても
誰をうらみもすまい
微風となって渡ってゆける樹木の岸を
さよなら
さよなら
と　こっそり泣いて行くだけだ

伊藤桂一の「微風」【＊1】という詩を思い出す。

ひどく曖昧で複雑な世の中にあっても、掌に受けるような、ほんの少しの早春の陽ざしのあたたかさだけで、わたしたちは生きられることがある。そんなおぼつかなくて、頼りなくて、信頼できなそうなものでも、自分の生きがいとすることができる。そこまで考えて、ふと思う。

むしろ実朝は「綱手」ほどの生きがいでも自分は生きられるんだ、って素朴に思ったんじゃないか。

材木座海岸に座り込む彼の表情をのぞいてみたい。彼は嘆いているだろうか。微笑んでいるだろうか。絶望しているだろうか。それとも、生きようとしているだろうか。そうなればわたしにとっての綱手とは、壊れかけの数字並べパズルであり、何冊かの文学であり、大阪王将の五目あんかけラーメンなのであった。

世の中は常にもがもな王将のうまいあんかけラーメンかなしも

かっこつかないなあ。実朝はさすがだ。

【＊1】『新編 伊藤桂一詩集』日本現代詩文庫、1999年

悲劇

「悲劇」について、哲学対話をしたことがある。ほぼ初対面のひとと「悲劇」について考えていると、誰かが悲劇を「自分の力ではままならない状態のこと」と定義してくれた。たしかに悲劇っぽい。本で読んだり演劇で見たりする悲劇は、神や運命を呪っている。わたしの手ではもうコントロールできないからだ。

世界は堅牢だから、ちょっとやそっとでは壊れない。だから、悲劇といえば、何か衝撃的で劇的なことが起こる。剣を刺した憎き敵が実の父親だった！とか、戦をしていてあともう少しで勝利というところで、幼い子どもが犠牲になった！とか。

悲劇は少しずつ忍び寄る。だんだんと不穏になり、そしてついに運命が暴走し始め、ブレーキが効かなくなる。主人公はもがいて、何とか運命に抗おうとする。だがそれは無益な試みだ。そんなことを、みんなで考える。

終了の時間になってファシリテーターが立ち上がり、ホワイトボードを消しながら、悲劇についてこんな話ができましたね、などと簡単に振り返りをする。2時間ほどかけて考え疲れた頭をぼうっとさせていると、ファシリテーターがぼそっと言った。

「まあでも人生も、そもそもままならないですよね」

世界がまだわたしにやさしくて「ままならない」なんて言葉も知らなかった小学4年生の頃の、ある朝のことを書きたい。

朝は豊かでうつくしく、ぱちりと目が覚める。帽子をかぶって、羽根のように軽い身体で学校へ駆けていく。学校以外にわたしの世界はなく、ほかのすべては淡くぼやけている。

教室に着くと友だちが何人かすでに来ていて、楽しそうにおしゃべりをしている。わたしもすぐに、黒板の横でふざけているサキちゃんとナッちゃんの輪に参加する。あの頃は「お疲れさまです」も「今日寒いね」もない世界で、どうやって友だちの会話に参加していたのだろう。

わたしたちはぴょんぴょんと跳ねている。両手を上に挙げて、うさぎのように。何が面白いかわからないのに、わたしたちは心底楽しくて笑う。空気は透き通り、朝の日差しがうれしい。

サキちゃんがぴょん、と跳ねたときにきらりと光ったものが目に入った。飛び上がった拍子に、下着のシャツと、吊り下げているスカートの間に、ロケットペンダントのようなものを見つけたのだ。小学校は、勉強に関係のないものは持ってきちゃだめなルールだったから「あ！」とわたしは言った。糾弾するというよりは、ひみつの道具を発見した気持ちだった。

ナッちゃんもわあっと声を上げ、「なにそれ？」と聞く。見せてもらうと、かわいいコーギー犬が4匹写っていた。大きいコーギー、そして子犬のコーギー。親子なのだろう。サキちゃんがコーギーを何匹も飼っているのは小学校で有名だったから、わたしたちは写真を見ることができたことを喜んで、サキちゃんのスカートに付いている小さなロケットペンダントをのぞきこんだ。わたしは顔を上げ「かわいいねえ」とはしゃいで言った。するとサキちゃんは静かに言った。

「実は朝、死んじゃったの」

え、とわたしは声を小さく吐き出した。

あまりのショックに、その後どうしたのか覚えていない。

ただ、がしゃん、となにかが壊れた音がしたのを覚えている。わたしの言葉が細かなガラスの破片になって、彼女に突き刺さる。わたしにもたくさん、たくさん、突き刺さる。

サキちゃんは、大きな声を上げて泣いた。


不意にひとを傷つけるということ、傷つけられるということ。傷つけて、傷つくということ。ふとした瞬間に、ひとも壊れてしまうということ。まばゆく確かな朝が、壊れてしまうということ。世界は、簡単に壊れてしまう可能性があるということ。

「かわいいね」は別に意地悪な言葉じゃない。たまたまわたしが言って、たまたまロケットペンダントが朝の日差しに反射してきらめいて、たまたまサキちゃんが跳びはねて、たまたまその朝、サキちゃんの犬が死んだ。

啞然とする偶然性に、わたしはおそれおののく。わたしたちは世界をコントロールすることができない。自分の人生を適切に取り扱うことができない。確実で頑丈に見える世界は、驚くほど脆いもので支えられている。ぞっとするような脆い偶然性の重なりを、ひとは「運命」と呼ぶのかもしれない。運命の動因は、神でも大いなる何かでもなく、このわたしだ。

わたしのたった一言、「かわいいね」なのだ。

人生はままならない。

それなら、人生は悲劇なのだろうか。

あれから数十年経った。サキちゃんは獣医になったらしい。

まちで犬を見かけると、かしこまった家族のように座ったコーギーが、目の前に蘇って離れない。

シャベル両手で持つ

初恋と道徳は両立しない。

哲学は長い長い歴史の中で、ひとに惹かれるとは、恋に落ちるとは、どういうことなのかを考えてきた。ひとの様子をおかしくさせる恋というもの。自己が揺さぶられ、破壊され、すりつぶされてしまう経験。このような自己の危機を「初めて」経験する際は、とりわけおかしなことになるのは当然である。

たとえば、自我が保てなくなる。アイデンティティがわからなくなる。集中力がなくなったり、過度に高まったりする。ビルから飛び降りても生きていられるような気もするし、相手の挙動ひとつでいますぐ死にたくなったりもする。

そして、ついに道徳というものが消滅する。


グループ魂の「ラブラブエッサイム'82」という曲がある。このバンドは、劇団大人計画の俳優がメインで構成されており、歌詞はほとんど宮藤官九郎が担当している。面白い曲が多いが、特にこの曲の歌詞はすばらしい。

軽快なテンポで、初めて恋心を抱く少年の独白をボーカルの阿部サダヲが歌う。だがその内容はひどく自分本位。彼は、大好きなあの娘に少しでも近づくために、彼女のおばあちゃんが病気になることを願う。できるだけ寄り添えるように、彼女の愛犬が失踪することを望む。彼は、彼女の幸福と不幸を心の底から祈るのだ。

恋はなぜひとを近視眼にしてしまうのだろうか。

彼女とたった数分一緒にいるために、彼女の愛犬を逃がしてしまう。彼女にたった一言声をかけるためだけに、家庭が複雑になるように呪いをかける。

恋は目を見えなくさせるが、同時に強烈なパワーをわたしたちに授ける。恋するひとに会うために、足が棒になるまで歩いたり、たった10分言葉を交わすためだけに新幹線に飛び乗ったり。この曲も思えば、大好きな彼女の家のまわりを自転車でぐるぐるまわる描写から始まっていた。

ある夜、友人とＬＩＮＥで、恋する相手に「なんでもやってあげちゃう」ことについて話していた。相手のことを常に考え、何か少しでもアクションを起こすことができれば、なんでもやってしまうのだ。恋はなぜだかそれを可能にする。

ちょうど恋で様子がおかしくなっていた友人は「死体埋めちゃう」と言った。

死体を埋める。たしかに「なんでも」の究極だ。

ここで注意したいのは、「なんでもやってあげちゃう」ことは、必ずしも相手が望んでいるとはかぎらないという点である。より正確に言えば、「わたしが思う、相手にかかわれることはなんでもやってあげちゃう」のである。

さらに言えば「死体を埋める」のは、相手が望んでいる、望んでいないにかかわらず、相手のためにあまりならない。何かをきっかけにして誰かを殺めてしまった愛しいひと。だが、友人は相手を叱責することなく、愛しいひとをうっとりと見つめたまま、一緒に死体を埋めに行く。

献身的とか、自己犠牲的とか、そういうことではない。恋はひとを近視にする。愛しいひとだけをひかり輝かせ、それ以外は漆黒。その他大勢のひとびとや、自分の行為は全て闇の中へ溶けていく。道徳や、もしかしたら一番大事かもしれない相手への思いやりまでも。だから全然、献身的じゃない。ロマンチックじゃない。相手に夢中なんだけど、相手のためにはならないこと、時には相手の不幸まで望んだりする。奇妙な感情だ。

そんなことを考えていると、友だちはつづけてＬＩＮＥを送ってきた。


「シャベル両手で持つ」


きゃっとかわいい声をあげて、シャベルを両手で持ち、土をかぶせる愛しいひとをじっと見つめる友だちを想像する。究極的な状況。そんな中でも愛しいひとに、かわいいと思われようとする。そのけなげさ。自分勝手さ。

汗だくで穴を掘る愛しいひとに、彼女は後ろからポカリを差し入れたりするのだろうか。

もちろんこれは想像だし、友だちの冗談だ。だが、「恋」という多くのひとびとを悩ませ、哲学者たちの頭も痛めてきた不思議なものの一面を、言い当てているような気もする。

相手を尊重したいのに、相手を傷つけようとする。相手と社会の中で生きていきたいのに、社会が見えなくなる。

ひとを求めることと、ひとを傷つけること。両者は裏表なのかもしれない。

先日仕事先で友だちに会った。思い出したようにこの話をすると、彼女は「シャベル両手で持っちゃうよね」と言って、両方の手にそれぞれシャベルを持つ動作をした。

あれっ、両手にそれぞれ持って掘るってことだったのか。

わたしの中では、彼女が両方の手を一つのシャベルに添えて、うっとりと愛しいひとを見つめているイメージだったのだ。掘る姿もカッコイイ、みたいな。

彼女は満足そうに微笑みながら、肩甲骨をぐるぐるとまわすような、気持ちの悪い動きで、土を掘る真似をする。バレー部で鍛えた肩が、たくましい。

その場に居合わせた上司が、ぎょっとした顔で、何してるの？　と聞く。

恋をしてます。

存在のゆるし

コンビニから出ると、大雨だった。

ひとびとは当たり前のように傘をさして歩いている。手ぶらのわたしはそのまま進み、横断歩道で信号を待つ。ゴワゴワした服に水分が滴り落ちて気持ちが悪い。靴もじゅくじゅくして寒くなってくる。ひとびとが、町の中でたった一人、傘をさしていないわたしを見つめているのがわかる。

歩いていた道を引き返し、１００円ショップにいそいそと入る。風が吹けばこわれるような傘を買い、ふたたび外に出る。ひとびとは「傘を忘れたのでいま買ったひと」という目でわたしを見ている。

傘をさして歩くと、ぱたぱたとビニールに水が当たる音がする。やわらかく小さな傘からしずくがたくさん滴り、わたしの靴をさらに濡らす。

本当は、傘は必要なかった。わたしは濡れてもよかった。「雨の中で傘をさしているひと」になるために、この町で居場所を得るために、わたしは傘を買ったのだった。

存在することは、やるせない。存在は白々しい。わたしたちは「ただ存在すること」が苦手だ。

大学院生のとき、友だちの展示を見に日本橋を歩いた。足早にすれ違うひとはみんな、何か役割を持っているような気がして、ひどく心細かった。みんなが立派に見える。意義を持った、一人前の大人に見える。ピカピカの靴、新しいスーツ。全員年収1億くらいありそう。

10年以上前に見た番組で、オードリーの若林正恭が「楽屋でペットボトルのラベルを読み込んでいる」という話をしていた。ただ座っているのはつらい、だけどドリンクのラベルを見ていれば「ラベルを見てるヤツになれる」と。

「なれる」という言い方が記憶に残る。ただ存在していることは、いたたまれない。だから、わたしたちは何か役割を得たいと思う。それは、アイデアを出すひとだったり、議論を記録するひとだったり、荷物を運ぶひとだったりする。もしくは、傘をさしているひとだったり、ラベルを熱心に読んでいるひとだったり、スマホをいじっているひとだったりする。

反対に、役割を持っていないひとをわたしたちは軽視する。まなざしの圧力でそのひとを押しつぶそうとする。まなざしは、存在を小さくすることができる。役割を持て、役に立て、と叱りつけることができる。

だがその声は、呪いである。そして、呪いの杖はつねに壊れている。呪文をとなえて繰り出される魔法は、あたり一面に撒き散って、わたしにも突き刺さるだろう。呪いはあっという間に血管をかけめぐり、わたしを殺すだろう。いつまでも、いつまでも、呪いを撒き散らしながら。


少し前から「ただ存在する」運動を始めた。駅に着くまでの電車の中で、ただ存在するひとになる。町の中で、植え込みに座って、何もしないひとになる。

「話しかけられるのを待っているひと」になってはいけない。「待ち合わせをしているひと」にも「ぼーっとしているひと」「疲れたから休んでいるひと」にもなってはならない。そうではなく、わたしはただ、存在するひとになりたい。

ひとと目が合う。ひとは少しだけぎょっとした顔をする。スマホもいじらず、ぼーっとしているわけでもなく、ただ植え込みに座っているひとというのは、奇妙だ。「なる」に飛びつかずに、存在そのものにしがみついていることは難しい。存在の不安に押しつぶされそうになりながら、わたしは「存在」をやってみる。

大雨の中、傘をさしているひとにならなくてもいいことを、自分にゆるそう。目の前のペットボトルを読み込まなくてもいいように。エレベーターの中で、ゆっくりと点滅する階数を見上げなくてもいいように。役割を得ることだけが価値にならないように。

これはわたしのささやかな社会運動であり、抵抗運動である。

3

はい　哲学科　研究室です

死ぬために生きてるんだよ

ある市立小学校の6年生と授業で哲学対話をした。すでに2回ほど、こちらが提示した問いについて哲学をしたようだが、今回は事前にアンケートをとって、彼らから出てきた問いについて哲学することになったとのこと。わたしは今回からの参加で、大学院の先生と先輩と3人で行ったので、クラスを3つのグループに分けて、それぞれ輪になった。子どもたちはもう慣れた手付きで椅子を自分に引き寄せて座っている。

いつもは静かに「永井さん」と話しかける生真面目な先生が、子どもたちを前に「このひとのことはレイチェルと呼んで下さい」と律儀に紹介する。子どもたちはぎゃあぎゃあと笑い転げている。あだ名があってよかった、と思う。

紹介がすむと先生は、表情を変えずに「今日の問いは、ひとは何のために生きているのか？です」と、普段の授業の調子で言った。

重い、と思ったひとも多いだろう。だが、小学校で子どもたちが考えたい問いとしていちばんに挙がるのはいつも「生きる意味」なのだ。

最初の発言者は、「ひとに生きる意味なんてねえよ！」と叫んだ少年だった。もっと「ひとの役に立つため」「何か使命を持ってひとは生まれてきた」など耳触りのよい言葉が出るかと思ったが、そんな綺麗事はいらない、とでも言うような迫力だった。

彼が言い終わると、周りの子どもたちが、しゃべった！　しゃべった！　と騒いでいる。どうやら彼は過去2回の哲学対話の授業では1回も話さなかったようだった。

彼は発言したあと、なぜこんな不条理でわかりきったことを聞くのか、と言うかのように椅子に背をどっしりと預けた。投げやりに言っているわけではなく、生きる意味なんてない生に対して、心から怒っているようだった。

怒る少年にもっと教えてと頼んでみる。すると彼は「だっていつか死ぬじゃん」と言った。そう、わたしたちはいつか死ぬのだ。

小学生のときひとは何のために生まれてくるのかわからなくて怖くて泣いたことを思い出

す。その怖さはきっと、ひとはいつか絶対に死んでしまうと気がついたときと、同じ瞬間だったのかもしれない。わたしは死んでしまうのに、なぜわたしは生まれてきてしまったのだろう？　とおそろしかった。

子どもたちから発せられる言葉の雨に吹き付けられて、はっと目が覚める。我に返ると、子どもたちは興奮した様子で、一斉にしゃべりだしている。対話のすさまじい渦に巻き込まれてしまいそうだ。彼らを何とか落ち着けて「わたしも小学校のとき人生には意味はないかもって考えて怖くなった。けどいまだによくわからない、だからみんなの考えを聞かせて」と改めて問いかける。それを聞いたわたしの真横に座る少年がしみじみと「そんなこと考えてたなんて、すごい小学生だなあ」とつぶやく。いやいや、この問いは君たちが出した問いじゃんか、と笑ってしまう。

わたしたちはアンパンマンマーチを気軽に口ずさめるのに、そこに「テツガク」なんて冠をかぶせてしまうと、まるで崇高な営みであるかのように思ってしまう。何気ない日々の中でふと考えを巡らせているのに、改めて人前でそれを誰かに伝えると「すごいね」と距離を取られてしまう。

しばらく皆が考えこんでいると、別の少年がしみじみした空気を切りさくように「たしかに人生に意味はないよ、でも生きる意味をつくっていくのが人生じゃん」と反論した。再び、わああああああっとみんなが一斉にしゃべり出す。彼らには言いたいことがあるのだ。それを一つひとつ、きちんと聞かなければならない。

彼らには楽しいこと、好きなことがあるという。それを見つけていくのが生きるということなのだと。

あなたがたが生きる以前には生は無である。しかし、これに意味を与えるのはあなたがたであり、あなたがたの選ぶこの意味以外において価値というものはない。【＊1】

サルトルの言葉をどうしても思い出してしまう。人生に意味なんてないからこそ、意味を見つけていくことが可能なのだという逆説。

対話は錯綜しながらなぜかトランプ大統領についても触れられる。トランプはやばい！　トランプはだめ！　と子どもたちが声を荒げつつも「生きる意味とは関係なくなっちゃったじゃん」とか「ひとの悪口になっちゃうよ」と誰かが注意して再び問いに引き戻される。わたしが「話を戻そうね」なんて言わなくても、彼らは自分たちで対話の主導権を共有することができる。

「子孫を残すため」という意見も出た。ある少女は「いつかひとは死ぬかもしれないけど、その子孫が生き延びる」と、まだ怒ったまま椅子にもたれる少年に言い返す。少年は「その子孫も死ぬじゃん」と言う。少女は果敢に「その子孫も子孫を残す」とラリーをつづける。「たとえばべろべろっていう生き物がいるとして」とある少年が話しだす。そいつが宇宙の外側から俺らを見てて、実験して遊んでいるんだ、べろべろの役に立っているんだからそれだったら生きる意味はあるんだ。

でもそっちのほうが意味ないよりいやだ、という。たしかにそれは生きる意味がないっていうことよりもむなしいことだ。

彼はもはやわたしに話をしていない。前かがみになり、同級生の顔を一人ひとり順番に見つめながら話している。子どもたちは、わたしのことをもう忘れて、互いの世界に入り込んでいる。対話の渦は、うなりながら、わたしたちをどんどん奥へと引き込んでいく。

その少年は熱量を保ったまま、話しつづける。俺は自分と違うものは嫌いだ、これはトランプだ、でも俺はトランプなんだ、俺は自分の好きなものにだけ囲まれていたい、俺はひとを思うようにしてしまいたい、そんな欲望がある！

彼の同級生たちはうげえ、と言いながら顔をしかめて笑っている。それを見て彼も困ったように「俺は神になりたいんだなあ」とつぶやいている。

彼の友だちが「でもそれはオマエの物語だろ？」とたしなめるように返す。少年は、顔をくしゃくしゃにして「そうなんだよ、俺は神になりたいけど、神にはなれないんだよなあ」と笑った。

他者を排除してしまいたい、異質性を除外してしまいたい、その人間の欲望を彼は直視している。そしてそんな欲望を持つ自分を笑ってもいる。友だちはそんな彼を独断的だと批判しながら受け入れている。

対話の渦の勢いは止まらないまま、残り時間が少なくなっていく。

最初に言葉を吐き捨てた少年は、同級生の話を黙って聞きながらまだ「神になれたとしてもいつか死ぬじゃん」という顔をしている。意味を見いだしたとしても、死がそれを全て無に帰してしまう、と憤っている。

少年の向かいに座る少女がふと「でもさあ、死ぬから生きるんじゃん」とつぶやいた。

「変な言い方だけど、死ぬために生きてるんだよ」

なんだよそれ、とか、変なの、と子どもたちはぽたぽたと言葉を落としていく。このことについて考えたくて、うろうろと思考をめぐらせる。わたしも考える。だが時間がない。先生が遠くで「ハイ、じゃあそろそろ」と言っているのが聞こえる。いやだ、まだやる！ と何人かが文句を言う。

それでもやっぱり授業は終わる。彼らは自分たちの教室に帰るために、あっという間にいなくなってしまう。わたしだけが教室に残って、小さい椅子に座っている。

子どもたちが立ち上がったときに「もし答えがわかったら教えて」とお願いした。はあい、と上の空で答えられてしまったけど、数十年後であろうが、どうにかして彼らの問いに対する答えがめぐりめぐってこちらに届けばうれしい、頼むよ、みんな。

【＊1】サルトル『実存主義とは何か』伊吹武彦訳、人文書院、1996年。わたしが哲学を志したきっかけの本でもある。ぜひ多くの人に読まれてほしい本。

世界、問題集かよ

笑うことが好きだ。だからか基本的にいつも笑っている。やさしく微笑んでいるわけではない。爆笑しているか、ニヤニヤしているのである。日常に無数にある笑えるポイントを蓄積し、帰りの電車などで思い出しひとり楽しむのが好きだ。または、友人たちにその内容をLINEして、ふたりで笑い転げるのが好きだ。「この間、怖い顔をしながらすごいスピードで歩いていたね」。よく言われる言葉である。だが怖い顔をしているのは、笑いをこらえているからである。

昔、笑いをこらえることに必死になりすぎて、どっかのマンションに飾られているでかい門松に刺さったことがあった。鋭利な松に体中を貫かれ、ひんやりと冷えたすべすべの竹に頬を押しつけながら、なぜこんなものを人間は大事そうに飾るのだろう、と考える。

世界とは、人間とは、なんてわけがわからないんだ、と門松の中でニタニタする。

ヤスパースという哲学者がいる。彼は哲学することの根源は、驚異と懐疑と喪失の意識であると言った。「驚異」から問いと認識が生まれ、認識されたものへの「懐疑」から批判的吟味と明晰さが生じ、自己「喪失」の意識から自身に対する問いが生まれる、とのこと。

まちで、学校で、哲学対話を始めるとき「どんなことを考えたい？」「何をテーマにしたい？」と問い出しをすることがある。哲学対話に慣れてきた小学生たちに聞いてみると「なんで色があるの？」「過去の人物は本当に存在したの？」と言ってくれたり「すぎたりしてぜったいにとまることのないさらに長く感じていたい不思議な不思議な時間とは何か！！」なんて大きな字で書き殴ってくれたりして、わくわくしてしまう。

だが一方で、かなり行き詰まるときもある。そりゃそうだ。「どんなこと考えたい？」なんて見ず知らずの女に聞かれるなんて、深夜の道ばたで「わたし、キレイ？」と話しかけられるようなものだ。おそろしいというよりもはや、思考停止である。え？　なんだこいつ？である。

小学校のＰＴＡの会で哲学対話をやったとき、まさに、なんだこいつ？　状態になったことがあった。お母さんたちは「何を考えましょうか」とヘラヘラしているわたしを前にして、呆然としている。何を考えたらいいのか考えなければいけないと考えている。

　そこで「何かお子さんのことで悩んでいること、怒っていることありますか」など質問を変えてみる。するとお母さんたちはものすごい熱量でしゃべり出す。夕飯があるんだからオヤツを食べちゃだめっていうのに言うこと聞かないんです。あーっ、うちの子も約束守れないの。やだあ、うちの子もなの、この間もね……。

　固い卵がパカッと割れて、テツガクの誕生である。ちなみにその日のテーマは「なぜ約束は守らないといけないのか？」になった。楽しかった。


　南米の哲学対話の実践家であるウォルター・コーハンは自身の著作【＊1】で、ヤスパースの哲学の根源を紹介したあと、４つめに「dissatisfaction（不満）」を付け加えようと提案している。面白い視点である。

　とある高校で「なんで校則を守らなくちゃいけないの？」というテーマが出されたときも、同じようなことを考えた。不満、というとネガティブだけど、頭から離れないそのモヤモヤって、それだけ切実に、いま、まさにここで、とりつかれている「問い」なんじゃないの、と思う。

10代のころ、わたしは世界のめちゃくちゃさにすっかり打ちのめされた。他者は怪物のようだし、社会は理不尽にあふれ、この世は理解できないことばかりである。そしてなんか知らんけど気がついたらここに「存在」していて、だけどいつかわたしは死ぬらしい。わたしたちはどこから来て、どこへ行くのか？　ここはどこなのか？　わたしは誰なのか？

「世界、問題集かよ」

哲学科の友だちのつぶやきだ。世界はめちゃくちゃな問題集である。誰も小冊子「解答」を持っていない。中学のときみたいに、解答をこっそりノートに写して提出することはできない。どうにかして解くしか道はない。孤独でしんどくてさみしい。

母によると、4歳のとき、突然「わたしはママじゃない」と言って泣き出した時期があったそうだ。教育学的に言えば自我の芽生えとか、自意識のうんたらとかそういうやつなんだろうが、おぼろげな記憶をたどると、これは世界への「驚異」というよりは「不満」に近かった気がする。わたしは、今後永久にわたしのままである、ということへの激しい怒りである。なんつう世界だ！と約3カ月間泣きつづけた。

まさにこれはめちゃくちゃな世界への最初の「不満」であり「問い」であった。だがどうしても「不満」と言うとネガティブなイメージがついてしまう。「不平」なんて訳すれば、ワガママな印象さえ与える。「悩み」？「不服」？「不満足」？なんて表現すればいいんだろう。

最初の話に戻ろう。わたしは笑うことが好きだ。だからお笑いが好きだ。漫才、コント、落語、気に入った笑いをカセットやMDに録音して暗記するまで聞き倒す。今日もまた録り溜めていたお笑いを見てしまった。ダウンタウンの浜田が松本を叩いて「なんでやねん！」と言う。見ながら、あれ？　と思う。何かを思い出しそう、と直感する。

大好きなサンドウィッチマンの漫才も見る。ツッコミの伊達が犬を散歩させているところに、ボケの富澤が話しかけてくるという設定だ。

富澤　いやあかわいい犬だなあ、ちょっと顔似てません？
伊達　ああ、俺にですか？
富澤　いや、俺に。

伊達　なんで知らないオッサンに似るんだよ！

それを受けて富澤は「ああ、飼い主と主人は似るって言いますもんね」と微笑む。伊達は「いやそれ一緒のことだよ！」とツッコむ。

ゲラゲラ笑いながら、富澤を見て「あっこれ世界だ」と思った。

世界は理不尽で、不条理で、めちゃくちゃで、暴力的で、意味不明である。だが言い方を変えれば、世界はボケつづけているとも言える。だって、せっかく生まれたけどわたしたちは絶対死にます、なんてマジで「なんでやねん」としか言えないレベルのボケである。

わたしは一生わたしのままで、あなたは永遠にあなた。この現実に対して、4歳のわたしはきっと、なんでだよ！　と全身全霊でツッコミをしたのだ。

ここは地球というところです。地球は宇宙というところにあります。宇宙はよくわかっていませんが、めっちゃデカいです。なんでやねん。

あるものはあり、ないものはないです。なんでやねん。

意識してではない。自然と内からわき出る「なんでやねん」である。そして「なんでやねん！」から哲学はおそらく始まる。

ナイツの漫才も見てみよう。

塙　ナイツでございます。塙です、よろしくお願いします。
土屋　自己紹介、これ大事ですからね。
塙　よろしくお願いします。で、ちょっといきなり汚い話になってしまうんですけれども……こちらが、土屋です。
土屋　どういうことだよ！

どういうことだよ。

さっきの「なんでやねん」が理由を問うものであれば、「どういうことだよ」は意味を問うものである。なんでやねん。どういうことだよ。ツッコミの王道の言葉ながら、実は哲学対話の際に頻出する質問でもある。

要はこれは、永遠にボケつづける世界に対するツッコミなのである。そうなれば、哲学対話をするひとたちや哲学者たちは、皆ツッコミ芸人なのかもしれない。

門松はボケである。みんな冷静になってもう一度門松を見つめ直してほしい。そして、正月に飾るものとか、竹とか、おめでたさとか、そういった意味をすべてはぎ取って、ただ、ありのままを、じっくりと見つめてほしい。

なんやねん。

頭の中で、奇妙で意味不明な物体を前にしたフットボールアワーの後藤が、中川家の礼二が、ブラマヨの小杉がツッコんでいる。新種のポケモンみたいな姿をした門松は素知らぬ顔で澄ましている。

ツッコミは「不満」の言い換えではないかもしれない。「驚異」も「懐疑」も「喪失」も全て入っているような気もする。だけど同時に、「ツッコミ」という新しいジャンルでもあるようにも思える。

じゃあせっかくだから5つ目として追加しておくべきか。

「総括して申しますと、『哲学すること』の根源は、驚異・懐疑・喪失・不満・ツッコミの意識に存しているのであります」

バカみたいになってしまった。ヤスパースがボケになってどうする。

【＊1】Walter Omar Kohan, *Philosophy and childhood : critical perspectives and affirmative practices*, Basingstoke : Palgrave Macmillan, 2014.

先生、ハイデガー君が流されてます

生活感あふれる研究室で、カビ臭い古本屋の匂いが染みついた時代遅れの書物から顔を上げ、夢から醒めたようにして思った。

哲学書、わからない。

むつかしさの原因のほとんどは勉強不足なわたしのせいだけど、4割くらいは哲学者のせいだと信じたい。大学生のとき、キルケゴールの『死にいたる病』を読んで驚いた。

自己自身に関わるこの関係が他者によって置かれたものだとすれば、それは自己自身に関わる関係であるばかりでなくさらにこの関係そのものを置いた第三者に対する関係でもある。このように派生的に置かれた関係が人間の自己である。それは自己自身に関わると共に、この自己自身への関係において他者に関わる関係である。【＊1】

いや、関係関係うるせえよ！　1ページ目からこれなので『死にいたる病』はすごい。一見さんはお断りどす、という気迫を感じる。眩暈をおぼえながらキルケゴールを脇に置き、代わりにハイデガーを手に取る。有名なあの箇所を読むと、例の文章が目に飛び込んでくる。

現存在の存在構成には、それがおのれの存在においてこの存在へむかって、ある存在関係をもっている、ということが属しているわけである。【＊2】

哲学書は、テクノみたいに一定のフレーズを反復しなければならない決まりでもあるのか。予備校で提出したら速攻赤ペンが入るような文章である。てかハイデガー先生、原稿書いてて「うわっ、俺存在って書きすぎ……？」と気づいてほしい。

反復もそうだけど、内容もむつかしい。現存在、存在、存在関係。現存在、存在、存在関係。おのれの存在において、存在へむかって、存在関係をもつ。おのれの存在において、存在へむかって、存在関係をもつ。錠剤を飲み込むように理解する。

ハイデガーやキルケゴールに文句を言いながら、わたしは『弁証法的理性批判』なんてゴツい文献に出てくる「超越論的な弁証法的唯物論」という言葉に線を引く。大事だと思うからだ。でもわからない。専門用語としてその言葉を知っているけど、やっぱりよくわからない。それでも線を引く。もう何度も読み古した文献に、また数多の線が書き込まれて、もうすぐ梅雨が来る。

以前、世界はめちゃくちゃで、意味不明な問題集みたいだ、という話を書いた。10代のわたしは、世界のあまりのボケっぷりに慌てふためき、文学を読みあさった。文学は、完璧な正解が載った解答冊子ではなかったけど、知らない誰かが編み出した独自の解答例だった。わたしは他人の解答例をたくさん読むことで、人生に合格したかった。

まあそうは言っても、深く作品を味わえたことなんてほとんどなくて、名文はわたしを通り過ぎていった。「私は無益で精巧な一個の逆説だ」【＊3】なんて言われても、中学生の頭には「『逆説』と『逆接』って漢字間違えないようにしないとなあ」とかどうでもいいことしか浮かばない。

一応なんか大事っぽいしカッコいいから、線を引く。きっと歌だったらサビの部分なんだろう。でもわからない。

個人的な話をする。

わたしが通う中学校の目の前には、長い長い長い坂があった。校門を出たら即座に上り坂である。どのクラスよりも終礼が早く終わった日、誰よりも先に校門を飛び出して帰ろうと思った。その日は霧雨が降っていて、少し肌寒かった気がする。永遠に思える坂を見上げると、誰もいないはずの坂の遠くに人影が見える。目の先には、自分と同じ制服を着たひとが、霧雨の中をとぼとぼと歩いていた。それを見たわたしに、ある言葉が雷のように降ってきた。

うしろすがたの しぐれてゆくか

それは昔意味もわからず読んだ山頭火の、旅の寂寥感を詠った句だった。

わたしはその見知らぬ誰かの背中を見て、山頭火の句をなぜか、しかし誰よりも理解したと直感した。傘をさすのも忘れ、頭の中はばちばちと鳴り響き、涙がじんわりにじんで、エウレカ！　と叫びそうになった。

へえそんなもの本当にあるんですか、まあ自分には関係ないです、みたいな物事が、突然ありありと感じられるすさまじさ。わかった！　というよりも、見つけた！　という感覚のほうが近いかもしれない。あこがれの世界の真理が、ちらりと姿をのぞかせたのを目撃して、アヘンを吸ったかのように気持ちよさにくらくらした。

昔から『天空の城 ラピュタ』の、パズーの父親が伝説のラピュタを垣間見るシーンがたまらなく好きなのは、きっとそのせいだ。『風立ちぬ』の主人公が、自分の理想とする飛行機を空に幻視するシーンがたまらないのは、そのためだ。

中学のときの、あの快感がこびりついて、わたしはいまでもこんなことをしているのだ。でも美しいあこがれの真理は、ずっと傍にはいてくれない。霧雨の坂道をのぼる背中は、気がついたら消えてしまった。


今月、日本哲学会のワークショップ「哲学対話と哲学研究」に行ってきた。

哲学科に数年在籍した者は、そりゃあ周りのひとよりは哲学書を読んでいるわけで、論理的思考や分析的視点が多少身についているし、論の筋道のようなものを知っていると言える。だから街や学校で哲学対話をするとき、その「知」はどう発揮されるべきなのか、なかなかむつかしい。すばらしく発揮できることもあれば、邪魔な足かせになることもあるし、ともすれば他の参加者に悪しき影響を与えることもある。

その中で、登壇者の一人である哲学研究者が、哲学対話の味わいについて話し出す。彼の話では、哲学対話をしていると、哲学書などで読んで知ってはいたことが、本当にあったんだ！　と感じることができるのだという。

「中学のとき、知識だけはあるエロ博士みたいなヤツっていたじゃないですか。ぼくらは、そういうところがある。「女っていうのはね……」とか言うんだけど、実はよく知らないヤツ」

わたしだ、と思う。エロ博士のほうじゃなくて。

観念論、実在論、唯名論。わたしはそんな言葉を知っているけど、まだ彼らを見つけてはいない。でも、哲学対話をしていて、興奮した小学生の口から、大きな目をした友だちの口から、眠そうな先輩の口から、見知らぬ大人の口から、ふとこぼれた言葉に、プラトンやヘーゲル、デリダの姿を見つけることができる。

もちろんプラトンの言うことと全く同じなわけじゃないし、哲学者と同じような難しいことを言ってすごい、という意味ではない。

なんというか、本当にあったんだ、実在したんだ、ラピュタはあったんだよ！　と叫び出したくなる感覚である。しかもそうした思想が、いともあっさりと、別の参加者によって批判されたりもする。理論は吟味・分析され、研鑽されていく。

たまにこんな感覚に襲われるとき、わたしは森田伸子さんの名文を思い出す。

考えているとき、人はいわば意味の海の中で、同じ海にすむすべての人々とつながっている。【＊4】

冷えた体育館の床に座り込んで哲学対話をしたとき、約束をなぜ守るべきか熱弁する女子高生の隣に、猫背のカントが体育座りをして、ふんふんとうなずいているのが見えた。何百年も前の、育った国も違うようなひとが、同じ輪の中にいる。時代も空間も超えて、わたしたちは同じ探究者として思考する。

わかる、ということについて書いたけど、わからない、ということについても書きたい。哲学科に入学し、大学生になったわたしは、哲学科の偉大なる先輩たちや先生を前にして完全におびえていた。このひとたちの前で何か間違ったことを言ったら殺される！　と思っていた。

子どものころ少しだけプレイした、リズムゲーム「パラッパラッパー」のタマネギ先生。リズム感を神から与えられなかったわたしは、最も簡単な第1ステージすらもクリアできなかった。ミスがつづくとタマネギ先生は、徐々に顔を曇らせていき、生徒への関心を失う。落胆し膝をつき、体を畳に横たえていく。冒頭ではあんなにご機嫌なラップを繰り出していたのに。わたしはタマネギ先生にどうしても愛されたくて、泣きながらプレイを繰り返したけど、彼はやめちまえ、という軽蔑のまなざしで「コンティニューしますか？」と言う。

1年生のときの研究会で、キルケゴールの「関係の関係の関係の関係」みたいな文章に出会ったとき、パラッパラッパーの映像が鮮やかに蘇った。目の前に座る同級生や先輩がタマネギ先生に重なる。みんなはきっとクリアできるはずだけど、わたしだけリズムに乗れない。哲学者ラッパーの言っていることがわからない。

ひとりぼっちの気分でいたら、先輩がぽつりと「わからない」と言った。

「なんだこれ、どうしてこうなるのかわからない」。

もしかしてこうじゃないか、と別の先輩が言う。でもそれは明らかに飛躍した読みで、先輩は自分でも「いや違うか、間違えた」と楽しそうに笑っている。わたしたちは頭をかきながら議論をつづけ、満を持して奥に座る先生を一斉に見つめる。先生何か言って下さい、という懇願の沈黙が流れる。

先生は、うずめていた文献から顔を上げ、たっぷりと時間をとったあとに言った。

わからん。

偉ぶりもせず、知ったかぶりもせず、先生はあっけらかんとわからん、と言って、再び読み古した文献に真剣に目を通し始めた。おそらく何十年、何十回も読み直したであろう本には、先輩たちが言った意見や自分の考えがびっしりと書き込まれていて、わたしはこのすごい先生と、同じ海の中にいることを知った。

哲学対話をしていると、自分が他のみんなと同じ海の中で泳いでいることにふと気がつくことがある。いろいろな瞬間の契機があるけど、ひとつは「わからなさ」が共有されたときだなあと思う。

わかんないなあ、と言いながらみんなで頑張って探求を前進させようとするとき、わたしには海の音が聞こえる。鋭敏な論文をばりばり執筆している先輩が、うーんわからん、と悶えているのを見て、なんだかうれしくなる。

わからなさに立ち向かうことは、大きな海の中で立ち泳ぎをつづけるみたいなものだ。ひとりはさみしいけど、ひとと溺れることはちょっと心強くて笑える。

わたしたちは岸の見えない海で必死に立ち泳ぎをしながら、笑っている。友だちも、先輩も、偉い先生も、みんな溺れている。きっとよく目をこらせば、目をくりくりさせたハイデガーやキルケゴールも、波に流されているのが見えるだろう。

立ち泳ぎをしていれば、雲の隙間から恋する真理が垣間見えるかもしれない。いつか見つけた！　と叫ぶその日まで、わたしは今日も「超越論的な弁証法的唯物論」に線を引く。


【＊1】キルケゴール『死にいたる病　現代の批判』。松浪信三郎・飯島宗享訳、白水社、2008年。

【＊2】ハイデガー『存在と時間（上）』細谷貞雄訳、ちくま学芸文庫、1994年。

【＊3】三島由紀夫『仮面の告白』新潮文庫、1950年。

【＊4】森田伸子『子どもと哲学を――問いから希望へ』勁草書房、2011年。

わたしたちのちょっとした病

みんながミッキーマウスに夢中になっているとき、わたしはグーフィーを好きでなければならなかった。

幼い頃、数あるかわいいディズニーのぬいぐるみの中からどれがいいか選んでごらんと言われ、わたしはやけにリアルで中途半端にデカいグーフィーを指さした。ぷりぷりおしりのかわいいドナルドダックや、いたずら子リスのチップとデール、みんなのリーダーのミッキーマウス。どんどん売れていく魅力的なぬいぐるみたちと対照的に、積み上げられたグーフィーは棚からこぼれおちそうだ。

重い瞼のグーフィー。

口は半開きのグーフィー。

なぜか人間と結婚しており、わりと大きめの息子がいるグーフィー。

男やもめのグーフィー。

抱き上げるとグーフィーは、ころころと丸くやわらかな他のぬいぐるみたちとは違って、わたしの腕の隙間からだらりと長い手足を脱力させた。

高校生の頃、朝青龍がメタメタに叩かれているとき、わたしは朝青龍のファンでなければならなかった。態度が悪いとか、怪我しているのにサッカーしてたとか、そんな理由で炎上しまくっていた朝青龍を見たわたしは、休み時間雑談している友人たちに、何の文脈もなく話しかけた。


「朝青龍って、いいよね」

漠然とした褒め。友人は曖昧に微笑み、特に話題は広がることもなく、チャイムが鳴って英語の授業が開始される。わたしは配布されたプリントを後ろの席に回した。満足していた。

この世には抑圧されているひととか、みんなに無視されている存在とか、忘れられているものがあふれている。そして、そうした存在に心を砕くひとがいる。そういうひとたちは、世の不正に対して声を上げたり、寄り添ったり、表現したりする。本当にすばらしいことだ。ひとがひとに寄り添う姿は、本当に美しくて、わたしはすぐに感動して泣いてしまう。

一方で明らかにしないといけないことは、わたしの行為は、そうしたひととは全然違っているということ。つまり、見えなくなっている存在を見ると心が痛むとか、この世に不正義があることがゆるせないとか、自分を重ね共感して助けたいとか、抑圧しているひとの意識を変えたいとか、そういう倫理的配慮ではないということだ。

だからといって、あまのじゃくのような「反発精神」みたいなものがあるわけではない。または、多数派の意見をあえて問うてみよう、みたいな建設的な意欲があるわけでもない。

わたしは、宇宙のバランスを心配していたのである。

友だち4人と話しているとき。誰かが「チョコミントアイスが好きじゃない」と言う。それに残りの2人が「わかる」「歯磨き粉の味だよね」などと賛同する。そのとき、宇宙にはチョコミントアイスがおいしくないという価値がモコモコモコモコモコモコと満ちてくる。そこで誰かが「わたしは好きだよ」などと言わないと、宇宙のバランスが崩れてしまう。

この世には見えないシーソーのようなものがあって、どちらかに傾きすぎると宇宙が崩壊してしまうのだ。わたしはそれがあまりにおそろしくて、耐えられなくて、足りていない価値をその場に生み出すことで、バランスを保とうと配慮していたのである。

驚くべきは、宇宙のバランスの傾きによって、わたしが丸ごと変わってしまえることだ。チョコミントアイスがその場では、本当に、心から、大好きになってしまうことだ。グーフィーが誰よりも愛しく見えてしまうことだ。

へえ、チョコミントアイス、ぼくも好きだよ。

誰かが言うと、口の中はたちまち不快な歯磨き粉の味でいっぱいになる。

だからぜんぜん、倫理的じゃない。むしろ、ちょっとした病気である。

いまはもう大分良くなったが、こうした「病気」「わずらい」、よく言えば「こだわり」は他者に理解されにくい。

「なぜぼくが言ったことにすぐ『いや、でもさ』って言うの?」と怒られたこともある。そこで「いや、宇宙のバランスがね」などと応答しても、火に油を注ぐだけだろう。結局「ごめん、すぐアウフヘーベンしたくなっちゃって」という意味不明な言い訳をして、別の仕方で火に油を注ぐことになった。

でもよく考えて欲しい。

これを読んでいるあなたにも、紛れもなく何かしらの「わずらい」「こだわり」がある。自分だけのルール、自らを縛る檻、こうでなければと思う信念、どうしようもない欲望がある。

たとえば、萩原朔太郎。彼は角を曲がるとき、必ずその角の部分を手で触っていたらしい。だから朔太郎の身辺の曲がり角はうっすら手垢で黒くなっていた、なんて話もある。

あるひとは、階段が3の倍数で割り切れないと気持ちが悪いと言っていた。だから最も美しい階段は9段であるようだ。

「日々変わるものだったらそんなに気にならない。でも階段の段数って構造だから動かせないじゃん。だから、段数を知っていることは、その建物がちゃんと安全であるということなんだ。3じゃないと気持ち悪い」。

「段数を知っていることは建物が安全であるということ」という彼の根拠は、他者と共有不可能なものである。一体どこが「だから」なんだろう。

そのひとの中でしか通っていない道理は、当人にとって自明すぎて、それが共有不可能であると意識されない。

以前ブログで、価値のある日常の中の断片を適切に保存しておきたいと思うことがあるといった話を書いたことがある。その記事についたコメントに以下のようなものがあった。

あらゆる日常を保存しておきたいという欲望は大変共感します。この10年くらいでだいぶ収まってきましたが、30代前半の頃までは、目にカメラを埋め込んで自分が体験した日常をすべて24時間動画でログをとりつづけることができる社会が早くこないかと思っていました。

それはまったく無内容なものでもいいのでとにかく自分の経験とつながるあらゆるものを保存しておきたいというもっと根源的なもので、フェティシズムというか、偏愛というか、まさに「欲望」と呼ぶにふさわしい、自分の奥深くで静かに流れている何か得体の知れないものです。


ワハハ。

共感します、と言ってくれているが、おそらく彼のこだわりを共有できるひとは少ない。

それは、スタンスは似ていたり、同じであっても、それぞれ「道理」が異なるからだ。

でも、だからこそ「ちょっとした病」はすばらしい。

なぜなら、こうした病は、まぎれもなく、そのひとがそのひとであることの証、決して誰かと交換することのできない独自性だからである。

哲学は、ある種の普遍性を目指す営みである。基本的には哲学的な問いを立てて、真理を追究していくわけだが、ひとそれぞれですね、で終わるのではなく、どの地点ならひとびとと共有することができそうか、何なら普遍性を見出すことができそうか探究する。

そう聞くと、哲学するなら普遍的に言えるような意見を言わないとだめなんですね、という反応をするひとがいる。その反応はまあ間違ってはいない。

だが一方で、わたしは哲学するひとが、自身の背負う欲求や、経験や、苦痛や、偏愛を、普遍性のためにあっけなく捨象してしまうことを望まない。そのひとの、共有し得ないこだわり、探究の場に否応なく露呈してしまう独自性、そしてその病に似た不自由さを心から愛する。

そしてそれが不合理であることへの狂おしい愛しみがある。

小指がいないとさみしいものだ
役に立たないものは　愛するほかないものだから

詩人・寺山修司の詩。ここには「役に立たないものは愛するしかないから」という不合理がある。文を「しかし」でつなぐのは簡単だ。でも「だから」でつなぐのは工夫を要する。それは論理を要するからだ。論理を要するとは、普遍性を要することだ。

わたしは合理性や論理を信頼している。だが同時に、詩人の不合理の飛躍を愛している。わたしは普遍性と同時に独自性を愛する。

そして、哲学の輪でもこれがゆるされるものであってほしいと願う。だからといって「これが真理なんです！」と突っぱねられても難しいし、ひとそれぞれで面白いですねと終わっても残念だ。兼ね合いを考えないといけない。

ああ。結局のところ、バランスの話になってしまった。

バランスってむずかしいですね。

皆さんいつも
生まれ変わっていますから
安心してくださいね

「死んだらひとはどうなるのか」について小学生と哲学対話した話。

以前、「ひとは何のために生きているのか」について哲学したことについて書いた。

実はこの日、別のクラスでは「死んだらひとはどうなるのか」について哲学対話をしたのだった。事前に「考えたい問いを書いて下さい」というアンケートをとったところ、死についての問いが一番多かったとのこと。小学校ではよく出る結果なんだというのをあとで聞いたのだが、問いを聞いたときちょっとドキリとした。


第三人称の無名性と第一人称の悲劇の主体性との間に、第二人称という、中間的でいわば特権的な場合がある。遠くて関心をそそらぬ他者の死と、そのままわれわれの存在である自分自身との間に、近親の死という親近さが存在する。【＊1】

「死」を哲学したひとで有名なのがジャンケレヴィッチ。彼は、他ならぬこの「わたし」の死を一人称の死、「誰か」の死を三人称の死、そして「わたし」に対してありありと感じられる「あなた」の死を二人称の死、とそれぞれ分けて特徴を分析した。

三人称の死はのっぺらぼうの他者だ。ラジオニュースでアナウンサーが「115人が戦死しました」と機械的に言うところの〝115人〟だ。でも二人称の死は違う。身近で、具体的で、胸が張り裂けるような存在の死だ。

小学生で二人称の死を経験しているひとは少ない。だからこそ、センシティブな問題だと身構えてしまう。これは安全な問いなんだろうか？　と疲れた頭でじんじん考える。

だが生徒たちがわらわらと教室に入ってきてしまう。しんどい雰囲気になってしまったら、それはファシリテーターであるわたしの責任であり、そうならないようにするのが数少ないわたしの役割なんだろう。

いろいろ心配したが、対話はなごやかに進んでいく。彼らの関心は「魂があるか」ということに集中する。テレビで見た話。本で読んだ話。お母さんが教えてくれた話。だがその中でメガネの少年がおずおずと発言した。

「魂なんてないよ。死んだら何もない。無になる」

案の定、反論の嵐がウギャー。ヘドバンギャー！　ならぬハンロンギャー！　である。どうやらメガネの彼以外は全員、魂がある派のようだ。

魂ってどんなものか教えて、と頼むと「いのち」とか「こころ」とか「死んだらポーンと出るもの」などと、どんどん出てくる。ある男子は、眉間に皺を寄せ、くねくねと体をゆがませ両手で何かを形作りながら言う。

「たましいとはもやもやした、きもちみたいなものだ」

それ見えないの？　と聞くと、うーん、と言いながら言葉を探すように体をくねらせる。考えているのだ。わたしも、一緒に眉間に皺を寄せて考える。

見えないものを表現するのはむずかしい。むずかしいからこそ、彼らはなんとか伝えようとする。

なぜ彼らが魂の話をしているのかというと、生まれ変わりを説明するためだ。ひとは死ぬと、ものすごい勢いで魂が飛び出て、誰かの中に入るという。生徒たちは生まれ変わりについて考えている。それを見たメガネ少年はわたしに目線を合わせると、むくれたようにして「あーあ、みんなキリストきょうとになっちゃったな」とつぶやいた。彼らの思想が実際にキリスト教的であるかどうかは別にして、その言い方に笑ってしまう。メガネ少年の批判は、皆の意見が神話的すぎる、というものだ。

「この中で、生まれ変わる前のこと話せるひといる？」と聞いてみたら、ゲラゲラ笑われた。いないよ、魂が移ったらもう前の記憶はなくなっちゃうんだよ。するとメガネ少年、するどく「じゃあなんで生まれ変わりがあるってわかるの」と切り込んできた。別の男子が、やっべーたしかに、生まれ変わらない派になろっかな!? と揺らいでいる。そうすると、体をくねくねして考えていた少年が「じゃあなんでお前は死んだら無になるってわかるんだよ」と言い返した。

ジャンケレヴィッチの話で言えば、一人称の死は経験できない死だ。なぜなら、死んだことを経験するわたしはもういないから。

少年少女たちは互いに顔を見合わせて、ぐぬぬ……と考えている。

対話をするとは、他者に出会うことだなあと思う。見慣れた友だちが「何か自分とは異なる、わけのわからないことを言う存在」に姿を変えてしまう。うそー無になるのかよ。ええ、魂があるなんて。そしてわたしたちは、対話をつづけるうちに自分自身もまた、自身にとって他者であることを発見する。しゃべりながら、なんだこの思想？　と自分でびっくりする。明証的だと思っていたことが、ひとに伝えようとした瞬間に手元からつるつる逃れていくうなぎに変貌してしまう。

他者を理解しようとすることは、巡り会うことのできない待ち合わせに似ている。新宿駅に着いたわたしは、時間になっても友だちが来ないので「おはよ！　わたしはもう着いたよ！　いまどこにいる？」とＬＩＮＥする。すると相手が「おはよう。ぼくも着いてるよ！そっち行くから場所教えて」なんて返してくれるだろうから、わたしは「ありがとう！　東口の改札にいるね」と、本当は階段の下にいたけどわかりやすいところに移動する、そしたら相手は「ごめん、ぼくがいるのは新宿三丁目だった」とか言ってきて、ああそうか副都心線だもんねとか考えながら「じゃあわたしそっちのほう行くね！」と移動を始める、すると向こうは「いや、もう東口向かってるからそこで待ってて！　てかどっちの改札？」なんて返してくるわけで、こんな風にしてわたしたちは永遠に出会うことができない。想像しただけで息切れを起こしそうだ。

でも、だからこそわたしたちはきっと対話をするんだろう。その他者とことばを懸命にすりあわせて、どこかで交差するところがないのか探し回るのだろう。そしたらいつか、東南口の改札前とかでばったり巡り会うかもしれないのだ。

「じゃあ生まれ変わりがあるとして、それってどういうことか考えてみよう」と提案した。生まれ変わりを主張するひとは数多くいても、その内実はかなり異なっているらしい。意外にも口火を切ったのは、メガネ少年だった。彼は自分の意見にいつまでも拘泥せずに「生まれ変わりがあるとすれば」の先を楽しそうに考えることができる。

この問題は、自己同一性の話になってきた。記憶がないのだとしたら、なぜそれはわたしと言えるのか。何が前世のわたしと来世のわたしたらしめるのか。

「たとえばわたしがいまここでばったり死んじゃって、そこから芽が出て木になりました。これは、生まれ変わったと言える？」定義をするのは難しそうだから、少し遠回りして聞いてみた。数人の子がしずかに！　しずかに！　としゃべる子を手で制している。先生に怒られるからそうするのでもなく、ルールだからそうするのでもなく、考えたいから聞きたいのだ。もっともっと、自分の思考を深めたいから、ここに座っているよくわからんひとの言葉を、身を乗り出して聞きたいのだ。

反応は「言えない」が大半。やはり生まれ変わりを語るには、器は違えど、変わらない魂のようなものが保たれていないとだめらしい。

彼らの対話を聞いていたら、昔生物の教師が「みなさんは生まれ変わったことがありますか？」と問いかけてきたことを思い出した。人間の体というのは、実は日々作り替えられているんですよ、シンチンタイシャというやつですね、骨は3年、血液は4カ月、細胞は……。ですから、と生物の教師は幸せそうに言う。「みなさんいつも生まれ変わっていますから安心してくださいね」。

「生まれ変わるなら死ぬのはこわくない？」と聞いた。こわいよーと返される。わたしだってこわい。だって痛いじゃん、と誰かが言うと、いやいや死んじゃったらもう痛くないんだよと誰かが返す。

すると、顔をくしゃくしゃにした少年が「ぼくは死ぬのはこわいんだ、すっごくこわいんだ、でも死ぬのがちょっと楽しみでもある！」と叫んだ。

ハンロンギャー！　だったけど、彼は死んだあとどうなるかを知りたい気持ちを、どきどきしながら教えてくれたのだ。そうかあ、そんな考え方もあるのか。

帰り道、大学院の先生と先輩で、お昼ご飯を食べるためにすたすた歩く。しゃべりながら、あの生物教師はなぜ「安心」と言ったのだろう、と考えた。それを聞いたとき、わたしはああよかった、って思ったんだっけ。

3人で歩道橋を渡っていたら、ボロい作りなのかぐらぐらと大きく揺れる。わたしは毎日のように揺れる歩道橋を使っているので慣れていたが、先輩が、えっなんだこれは!?と明らかに動揺していた。先生は「ああこれはですね、1組が歩いてもならないんですが、2組が歩いていると揺れるんですよ」とまるで授業のようにてきぱきと先輩に原理を解説し始める。

歩道橋をこわがる先輩と、本当かわからない原理を説明して濃いラーメンを食べたがる先生。どちらも見知らぬ他者だったけどなんだか妙におかしくて、もし生まれ変わることができたら、またこういうことしたいなあと思った。

【＊1】ジャンケレヴィッチ『死』仲沢紀雄訳、みすず書房、1978年。

あなたは不幸でもわたしは幸福を感じられることについて

まちで、高校で、小学校で哲学対話をしている。いろんなやり方があるけど、問いを一つ決めて輪になって考えることが多い。この輪の中にはえらいひとがいない。えらいひとの言葉も使わない。考えて、ひとの話を聞いて、もっと考えて、わたしたちは時間も空間も超えて、うんと向こうへ行こうとする。わたしたちは年や職業や思想がばらばらであっても、おなじ知を愛するひととして考える。

年末に、同じく哲学対話を実践している先輩2人とお蕎麦屋さんに入った。どうしたら対話しやすい場作りができるんでしょう、なんて真面目な話を真面目なひとたちと真面目にする。話の流れで、どちらかの先輩がぽつりと言った。

「そういえば、哲学対話って輪になるけど、隣のひとが見えないんだよね。だから、実は輪になっているときって、一番遠いひとに向かって喋ってる」

最も近くのひとが最も遠い存在。なんと本質的で、なんと美しいパラドクス！

大勢で哲学対話をしたときのことを思い出す。椅子を引き下げて、教室いっぱいにぐるりと輪をつくる。たしかにそのときわたしは、目の先の、つまり最も遠いひとに向かって話していた。遠くにも届くように、声を張り上げていた。でも隣のひとのことを気にしたことはあまりない。すぐ隣のあなたが喋っているとき、わたしは顔をのぞきこんだりはしない。隣のあなたが話すときも、あなたはわたしに話してはいない。あなたの目の先にいる、にっこりほほえんだあのひとに話している。すぐ隣のあなたが生き生きと哲学しているあいだ、わたしは足下にあてどなく溜まった埃を見つめている。

俺が見えないのか　すぐそばにいるのに【＊1】

X JAPANなのか。紅に染まったこの俺を慰める奴はもういないのか。

ぼんやり考えていたら蕎麦が到着してしまって、話が流れてしまった。蕎麦をずるずる啜っているふたりを見ながら、わたしたちはなぜ近くにいるひとが見えないのだろう、と考えた。距離的に（そしてきっと心理的にも）近くにいるひとが、なぜ見えないんだろう。

昔、国会図書館へ行ったとき、調べ物をして6階の食堂でラーメンを食べたことがあった。エレベーターで下に降りようとしたとき、60代くらいの夫婦が乗り込んでくる。あスミマセン、いえいえどうぞ1階ですね、と軽く会話をして6階分沈黙する。

狭く薄暗いエレベーターの端っこに縮こまる女性をふと見やると、モノトーンの服を着ているはずなのに、何やらひどく黄色いものが眼に入る。なんだろうともう一度見やると、女性の白髪かかった頭の上に、黄色の落ち葉が乗っかっていた。

え？　タヌキ？

一瞬背筋がヒヤっとする。焦って男性のほうを見るが、さっき食べた飯イマイチだったな、みたいな顔をしてのんびり階数表示を眺めている。だが小学生のてのひらほどの大きさがある黄色の葉っぱは、女性の頭の上でぎらぎら光っている。誰かがいたずらで乗せたか、彼女がタヌキかどちらかでないと説明のできない存在感。

タヌキでもそうでなくとも言うべきだ、という結論に至ったわたしはおそるおそる彼女に話しかける。あの、すみません、頭の上に葉っぱがついてますよ。

女性はキョトンとした顔で手を頭の上にのせ、永田町を降り注いでいた落ち葉の感触を確かめたあと、わ、と顔を大きくゆがめた。よかった、タヌキじゃなかった。これで無事に帰れる。安心したら、彼女が叫びだした。


「なんで言ってくれなかったの！　ずっと！　目の前に！　座ってたでしょ!!　なんで！　気がつかないの!!」


彼女はありがとうございますスミマセンと謝りながら隣に立つ男性をバシバシと叩く。どうやら向かいあってご飯を食べていたようだが、彼は全く気がつかなかったらしい。

わたしはあのときの、呆然とした彼の顔を忘れることができない。彼女が怒っているからでもない。知らないひとに話しかけられたからでもない。なぜ俺はこんな目立つものに気がつかなかったんだ、という顔だった。彼は言い訳を言うどころか、笑うことすらできずに固まっている。

彼女の手に握りしめられた落ち葉は「俺が見えなかったのか、すぐそばにいたのに」とつぶやいているように見えた。

わたしたちは、隣のあなたには声を張り上げなくても聞こえるから、近しいあなたには何を言っても伝わるから、なんて思って勝手に満足している。そうして、隣のあなたに伝えようとすることを忘れてしまう。

でも本当は、近しいあなたも「絶対的な他者」なんだろう。

母親とだってそう。確かにあのひとの中からこの世に引っ張り出されてきたはずなのに、彼女とわたしをつなぐよすがの頼りなさは、見ず知らずのひとと何も変わらない。看護師さんに抱きかかえられた瞬間、わたしたちはあっという間に他人めいてしまった。血のつながり、ということばの、なんとあやふやなことか!

とある中高一貫の女子校で「幸福とは何か」で哲学対話をした。彼女たちは「大切な友だちが幸せそうにしていると、自分も幸せ」と言いあって、心の底から幸福そうに笑っている。うんうん、わかるよとわたしも幸せになる。

すると、生徒に深く信頼されていそうな担任の先生が手を挙げ話し出した。

「ぼくは、サッカーが好きです。サッカーをしている間、幸せを感じます。だから、きみたちが受験で苦しい思いをして不幸だったときも、ぼくはサッカーをしてれば幸せを感じることができました」

ギャーー！　しんじられなーーい！　サイテーー!!

生徒たちは一斉に反応する。うそーあたしたちが受験してるとき、センセイサッカーしてたのー！　ひどーーい！　わたしたちはこんなに大変だったのにー!!

先生にとって彼女たちは、かけがえのない大切な生徒なのだろう。これは間違いない。だが同時に、かけがえのない生徒たちが不幸でも、彼は幸福を感じられた瞬間があった。これも間違いないんだろう。

だがこの発言は、彼女たちにとってまぎれもなく「他者」だった。予想だにしない、生徒想いなはずの先生の一面だった。

でも、その衝撃的な他者性の告知こそが、哲学対話の醍醐味なんだと信じている。信じられないサイテー、で終わらずに哲学対話は「どうしてそう言えるの？」と問うことができる。そしてだんだん、あなたとわたしが違うということを楽しめるようになってくる。もちろん、じりじりして終わることも多いんだけど。

いろいろと考えてみると、もしかしたら最も近くて最も遠いひとって自分自身なのかもしれない、とも思う。わたしはいままでもこの先も、一生自分自身の姿をこの目で見ることはないし、この文章を書きながら、5回くらい何が言いたいんだっけ、とわからなくなった。

蕎麦屋に入ったときのことをもう一度思い出す。あの日、カレー南蛮蕎麦とせいろを頼む2人を見て、何を思ったか「じゃあわたしはイカ焼きで」と言った。

イカ焼き。蕎麦屋で、大先輩の2人の前で、なぜイカ焼き。

お待たせしました、と目の前にイカ焼きが来た瞬間、これはもっとも礼節から遠い食べ物だ、と確信した。別に好きじゃないし。てかどっちかって言ったら苦手だし。もっとかわいらしく、慎ましく、お稲荷さんとか、卵焼きとか、かけそばとか頼むべきだった。なんで、わたしは、わざわざ、イカ焼きを。

はるが　きて
めが　さめて
くまさん　ぼんやり　かんがえた
さいているのは　たんぽぽだが
ええと　ぼくは　だれだっけ

だれだっけ【＊2】

哲学対話に参加していて、意見を言いながら途中で「何が言いたかったんだっけ」と焦ることがたまにある。大抵、周りのひとたちは怪訝な表情をする。ちゃんとしゃべれ、と目で叱責するひともいる。

一番近いはずのわたしが一番遠くに行ってしまったとき、わたしは冬眠から覚めたくまさんのふりをする。「ええと　ぼくは　だれだっけ」と心の中でへらへらして、何とか心を落ち着かせようとする。遠くにいるわたしを無理やり連れ戻して、何とか整合性をとろうと大急ぎで頭の中を組み立てる。

そんな風にぐるぐるしていたら「いまの話ってどういうことですか」と隣のひとが突っ込んできた。

ええと　ぼくは　だれだっけ、だれだっけ……。

【＊1】X JAPAN「紅」。ライブ映像を見ると、曲の後半ほとんどを客席にマイクを向けているが、客はもちろん高音すぎて歌うことはできない。

【＊2】まど・みちお「くまさん」『まど・みちお詩集』谷川俊太郎編、岩波文庫、二〇一七年。

だからここにいない君が好き

小学5年生と哲学対話をした。

テーマは3クラスとも「はやく大人になりたい？」である。一緒に小学校に行った大学院の先生は、今回も真面目にわたしを「レイチェルと呼んであげてください」と紹介する。教室がどっと湧いて、一人の男の子が「レーチェル・カーソン！」とヤジを飛ばした。

沈黙の春。渋いな。

みんな大人になりたい？と聞いたら、クラスごとに、なりたーい！と声を上げるグループと、やだー！と声を合わせるグループとさまざまである。

面白いのは、大人になりたい派は「大人は自由だから」であり、子どものままでいたい派は「子どもは自由だから」である。でもどちらも「自由」の中身は違うはずだ。自分で稼げる、お酒が飲める、結婚ができる、たばこが吸える！　子どもたちは大人になったらゲットできる「自由」を羅列する。でも、たばこを吸わない大人もいるじゃんか、だからそれは大人の条件にはならないよ。ある少女が加速する列挙にストップをかけた。ある少年が言う。

「大人ってことは、たばこを吸うこともできるし、吸わないこともできることなんだ」

ああ、なんと本質的な自由の定義だろう。
どういうこと、もっともっと教えて、と頼むと、男の子は少しだけ考えて「選択肢があるってことかな」とニヤリと笑う。
哲学対話では、ただ言いっ放しではなく「なぜ？」「どうして？」と理由を問うことができる。しかし、子どもにとって「なんで？」というのは、しばしば怒られているときに聞く言葉でもある。「なんで片付けてないの？」「なんでできないの？」お母さんが子どもを追い詰めるときに使うおそろしい言葉だ。

「永井、書類出してないでしょ。なんで?」

あっ、忘れてた! 本当にごめん!!

「ごめんじゃなくて。なんで?って聞いてるんだけど」


ギャー、大人同士でもそうでした。すいません。


「なんで?」と言われるのはこわい。でも、うれしいこともある。

中学のときに選択科目授業というものがあって、ゴルフとか工芸とか楽しそうな科目が並ぶ中、わたしは「芥川を読む」という授業をとってしまった。そこでは『奉教人の死』を読んで論じあうなんていう授業で、3人しか受講者がいなかったけど、国語の先生がわたしの意見を聞き、そして質問してくれるのが、いまでもふと思い返してしまうくらいうれしかった。

わたしがおそるおそる意見を言うと、先生は必ず「なぜ? もっとください!」と言ってくれた。先生の真剣なまなざしに貫かれて、わたしは思いつきやごまかしではなくて、理由を背負った重たいことばを言いたい、と張り裂けるように思った。

先生はきっと、芥川の真意にせまりたいという真理への情熱があった。そのために、こんなちっぽけな中学生の意見でも、真面目に聞いてくれた。なおかつ、わたしという人格への尊重があった。先生は純粋にわたしたちの意見に興味があって、愛してくれていた。わたしは、めちゃくちゃふてくされた子どもだったけど、それが言葉にならなくてもはっきりわかって、あの授業だけは欠かさず行ったものである。

実はいまの指導教員もそんなひとである。

目の前のひとを心から尊重し、真理への情熱を持っていて、哲学を心から愛しているひとだ。よく自分の荷物を店に忘れてきたりするけど。

わたしもまた、先生みたいになりたいと思う。

でも、なかなかむつかしい。わたしは未だに、このわけのわからない世界の中で、自分を、他者を、どう取り扱っていいかわからない。

最近、倫理学の修士論文を書いた。「他者を決して手段としてだけではなく同時に目的そのものとして扱うべきである」。カントのうつくしい文章を引用しながら、わたしは夢中で他者への尊重や承認がいかにつねにすでに行われているかを論証しようとする。

夜ひとりで研究室に残ってキーボードを叩いていると、人間が好きだあ、と思う。そしてすぐに、なんて無責任な、と自分に失望する。本当に身勝手で、夢見がちで、狭小だ。

研究室を出てエレベーターに乗れば、男女グループが大騒ぎしながら乗り込んできて、男性が女性の気を惹くために、エレベーターをグラグラ揺らす。仲間たちは、おまえやめろよー、こいつマジウケる、と彼を英雄扱いしてはしゃいでいる。

それを見たわたしはうつむいてその時間を耐えながら「帰りの電車でこいつらのお腹がめちゃくちゃ痛くなりますように」と心の底からお願いする。

観念の中でほほえむのっぺらぼうの他者はすべすべしていいにおいがするのに、どうして現前した途端に、果てしない、おどろおどろしい、よくわからないものになってしまうんだろう。どうしてあなたを全身全霊で愛せないんだろう。カントだってびっくりの、道徳的な人間になりたいのに、なぜできないんだろう。

心に残る缶コーヒーのCMがある。恋人のためにパスタをつくる竹野内豊扮する男。だが女は怒っているようでパスタも見ずに「さよなら!」と出て行ってしまう。あわてて男は追いかけるが、女に「さっき、一瞬パスタどうしようって思ったでしょ」と責められる。

CMを見て、ワッこれわたしだ、と自分を発見したような気がした。だってわたしは、あるひとが「このあと夜会えない? 相談があるの」と思い詰めた様子で言うのを、心配よりも先に「やば、明日早いんだよな」と考えたことがあるし、泣きながら深夜に電話をかけてきたひとの話を聞いて、うんうんなるほど、と適当な相づちを打ちながら授業のレジュメを作っていたこともある。

でも確実に、わたしにとって彼らは死ぬほど大切で、竹野内豊にとっても彼女は唯一無二のひとなのだ。なのに、なんでだろう。

わたしだって、できあがりのパスタを持っていたことなんて忘れて、彼女の腕をつかんで引き寄せたい。セリヌンティウスのために走れメロスしたい。

　彼女を愛しているがここで死なれてもめんどくさいなと思う午後のひだまり【＊1】

コスモポリタニズム、ヒューマニズム、他者尊重、相互承認。

わたしの論文にはそんな砂糖菓子みたいな言葉が並んでいて、ウソだ、欺瞞だ、と涙をこぼしながらすべて削除する。理想と現実の間にひきさかれ、心底みっともない。

「目的の国」【＊2】とはなんと美しく花やかで、遠くて遠くて遠くて遠くて遠いことよ。

2000年初演の松尾スズキ作・演出の『キレイ』という戯曲がある。

そこでの、お金持ちのお嬢様であるカスミと、そのフィアンセである兵器工場の息子マキシのそれぞれが歌うシーンがすばらしい。マキシは、武器を売った金で育ち、兵隊の隊長でありながら、本当はパンジーが大好きで、女座りで花占いをし、夢は町の小さな花屋さんであることを告白する。

本当の俺は手のひらサイズなの
だからここにいない君が好き

カスミもまた、自分を偽っていることを暴露する。

本当のわたしはここにいない
だからここにいないあなたが好き

2人は「ここにいないあなたが死ぬほど好き　わたしも死ぬほどここにいないから」と、目を合わさないまま声を合わせる。彼らは互いの不在を愛している。

人間とは多面体であって

クジラを保護した同じ手で
便所の壁に嫌いな女の電話番号書いて
「二千円でやらせる女」とか
それなりに味があるけれど
せめて恋くらい　キレイに
キレイに　こなしましょうね【＊3】

他者を愛しながら他者をめんどくさがるわたしも、それなりに味があるだろうか。ちなみに脇役の2人は、そのあと会うこともないままあっけなく死んでしまった。

小学生の哲学対話っていいですね、子どもは本質的なことを言うもんね、彼らは純粋ですばらしいですね、とよく言われる。たしかに彼らはすばらしくて、すごくて、哲学者だ。それは間違いない。

でも子どもたちは別に純粋無垢なわけじゃない。本質的なことを常に言うわけでもない。突拍子もないことも言うし、間違ったことだって言う。

彼らはきちんと、無知で、蒙昧で、傲慢で、いじわるで、小狡くて、見栄っ張りだ。

子どもたちのそんな一面を見るたびに、ああわたしたちって人間だね、多面体だね、しょうがないね、と笑ってしまう。だから、せめて哲学対話くらいキレイにこなしましょうね、とはならなくて、お互いを全面的に受け入れなくてもいいから、わたしもあなたも多面体だねということを飲み込もう、と思う。というか、まずは飲み込むのが哲学対話なのかもしれない。

傷つく恋人を前にして、パスタ冷めちゃうなとまず最初に発想した竹野内豊も、倫理学の論文を書いた直後に、見ず知らずのひとに対し呪いをかけるわたしも、生き生きと哲学をしながらも見栄をはり時にズルをする小学生も、みんな手のひらサイズであり、子どもであろうが大人であろうが、みんなその意味で多面体なのである。

ここでは、電話で相談に乗りながらレジュメを作ったことがあるんです、と言えば、きっと誰かが「なんで？　もっと下さい！」と、あのときの先生のように聞いてくれるだろう。そしてみんなで考えてくれるはずだ。

でも、あのときの電話の相手がこの話を聞いても「なんで？」と聞いてくるかもしれない。

えっと、あなたのことは大好きで大切なんですけど、レジュメが……

「え、なんで？」

人間ってほら……クジラを保護した同じ手であの……タメンタイであって……

「いや、なんで？　って聞いてるんだけど」

ひええ、ごめんなさい。

【＊1】フラワーしげる『ビットとデシベル』書肆侃侃房、2015年。
【＊2】カントの理想とする共同体。個々人が互いの人格の尊厳を認め、目的それ自体として尊重する。
【＊3】松尾スズキ『キレイ』白水社、2000年。

どうしてこういうことが気になるのですか？

砂場が好きだ。

砂場は、大都会に突如出現する小さな砂漠だ。

公園の他の遊具――滑り台、ブランコ、鉄棒が「動的」であるのに対し、砂場は静謐で、落ち着いた雰囲気を漂わせているのもよい。よし、じゃあ公園に砂場を人工的に作るか！と最初に考えたひとはすごい。適当な穴を掘ってそこに砂を入れるんですよ！　そしたら砂浜に行かなくても砂遊びができるんです！　えらいひとにプレゼンしている姿を想像する。えらいひとが、じゃあ小さい海を作ればいいじゃんと言う。プレゼンしているひとが、いや海じゃなくて大事なのは砂なんです、と答える。どうもありがとう。最初のひと。

いまでも砂場に魅了されているが、幼稚園生の頃もわたしは毎日砂場にいた。砂場という存在の神秘性にすっかり虜になっていたのである。だが、泥団子とか、お城をつくるとかは未だに一切興味をかきたてられない。わたしの目的はただ一つ、砂場を掘りつづけることである。なぜなら、砂場に底があるのか知りたかったからだ。

わたしは脇目もふらず、ひたすら毎日掘りつづけた。でも、掘り終わることはなかった。なぜか次の日幼稚園に行くと、掘り進めたはずの砂場が元通りになっているからだ。わたしは砂場の無限性に、より魅了された。砂は生きていると思った。砂は無限にわき出てくるのかも知れないと畏れた。

友だちは活き活きとブランコや登り棒などで身体を動かしている。れいちゃんも遊ぼうよ、と誘ってくれる。だがわたしは幼稚園に行くことを「仕事に行く」と言っていた。すなわち、砂を掘ることを仕事だと思っていたのである。こっちは遊びじゃないんだ、ごめんな、と思っていた。

そんなわたしに、唯一ケイコちゃんはたまにつきあってくれた。というか、同じ目的をおそらく共有していた。幼稚園のアルバムには、ケイコちゃんとふたりきりで、静かに砂を掘る写真が残っている。

数十年後、砂場のケイコちゃんはお医者さんになって、わたしは哲学研究者になった。

哲学研究者になったおかげで、昨年大学のお祭りである駒場祭で「対話する哲学人による人生相談」という企画に呼んでいただいた。

一般の方に「哲学者に聞くことができることがあったら何を聞きたいですか？」というアンケートで得た質問に「哲学人」として回答する、という企画。駒場祭当日にその答えは展示されるとのこと。

わたしがいただいた質問は2問。

・自分の不得意な面にばかり目が行き、得意な面がわからない。どうしたらいいか。

・周りに影響されて自分が見えなくなって、がんばりすぎて疲れちゃうんですけど、どうしたらいいですか？

800字から1000字くらいで、と言われたので、書きすぎてしまうわたしは、適度にふざけながらもA4一枚に収まるように書いた。

後日、展示を見にいけなかったわたしのために、現場にいたひとが撮ってくれた写真を見る。知っている先輩方や先生方の名前が並んでいる。みんなびっしりと考えを書き、だからといって押しつけがましくなく、誠実に質問者に答えようとしている。誠実に回答しようとしすぎて、A4一枚以内という制約を破り、二枚にわたっているひともいて笑う。

そんな中、東大の哲学教授である梶谷真司先生の回答を見つけた。

質問：「偉いとはどういうことか？」

回答：どうしてこういうことが気になるのですか？

え？

「人生相談」に質問返し。てか20文字。

あれ？　いま研究室で直接話してるんだっけ、という錯覚に陥る。

「回答が展示される」という一方向的空間に、「なんで？」と双方向的コミュニケーションを持ち込むそのパンクさにくらくらする。よく見ると、他の梶谷先生の回答もほとんどが質問返しだった。

だが同時に、哲学とはこういうことなのだ、と痛感させられた。だって「問うこと」はまさに哲学そのものじゃないか。

早急に答えを出そうとするのではなく、問い自体もまた問いに付され、問い返されていく。考えることによって、どんどんわからなさが増えていく。そしてそのわからなさをまた問うていく。そうすることで、わたしたちは自分が持っていた確固たる「前提」が切り崩されていくことを感じる。自明だと思っていたことが、どんどんやわらかく崩れていく。

そんなことを言うと、えっじゃあ哲学は永遠に答えにたどり着かないじゃないですか、といやがられる。わからないことがどんどん増えるだけじゃないですか。

たしかに、考えていると、真っ暗で下の見えない崖を見下ろしているような気分になることがある。少しずつ崖を降りていく感触はあるが、地上にあとどのくらいで着くのか、そもそも地上は存在するのか不安になることがある。

でも決して「前提を問う」ことは停滞ではない。

むしろ、考える対象を明確にするために進んでいるのだ。それが前か後ろか上か下かはわからないけど。

いつものようにひとり幼稚園で砂を掘り進めていたある日。自分もなかば沈みながら、スコップで40センチメートルほど掘ったときのことだった。わたしがスコップをざしゅ、と砂に埋めると、何か硬い感触が腕に伝わった。

永遠かと思えた砂場の終わりだった。

やっぱり底はあったんだな。

思考の行き着く先があるのか不安になったとき、わたしはあのときのカツンという確かな感触を思い出して、少しだけ勇気づけられるのだった。

あとがき

7月だが、無欲だ。

むかしから、プレゼントに何が欲しいかと聞かれても、何も思い浮かばない子どもだった。悩んだであろう我が家のサンタは、小学一年生に向けて、大胆な解釈による演奏で知られるグレン・グールドのピアノ演奏CDを贈った。わたしは、猫背で鼻歌を交えながら鍵盤を叩くカナダ人のバッハを聞いて育った。

大学生になってからも無欲さは変わらず、わたしに何かを贈ろうとしてくれる人たちをたびたび悩ませた。甘いものも食べず、酒も飲まず、アクセサリーもつけないわたしに、人々は砂時計とか、火花を起こしながら前に進むブリキのおもちゃとか、15ならべとか、日高屋の大盛無料チケットをくれた。

だけど本だけは例外で、今でも本屋の匂いを嗅いだだけで嬉しく取り乱してしまう。酸欠状態になりながら、フロア中をものすごいスピードで何周もうろうろして、無限の本を所有することをひたすら夢想する。

欲しかった本を手に入れると、あまりの快感に、あえて雑に読んでしまう。ろくに味わいもしないスナック菓子みたいに、ぽりぽりと消費してしまうのだ。丁寧に一ページずつ味わって読みたいのに、呼吸を荒くして、横断歩道の中央分離帯や、ホームのベンチなどでそそくさと読み終えてしまう。帰りの電車の中で、買ったCDのフィルムを息せき切って剥がしてしまう人みたいだ。

とにかくわたしは常に読み手だったし、いい読み手でありたいと思っていた。自分に表現したいことは特になく、たくさんの本を所有して、食べるように読んで、余韻の中で酔っ払っていたかった。

でも、あるときふと授業の記録のために書いた記事が何人かに読まれて、わたしは非常にささやかな形で「書き手」になった。相変わらず他の面では無欲だが、いい読み手でありたいという欲求は枯れないし、どうせ書くなら、誰かにうふふと思ってもらえるものを書きたいと思える欲望も出てきた。わたしの文章はわかりにくく、まとまらなくて、自分でも何が言いたいのかわからなくなるけれど、きっと両手で数えるくらいの人の心に届くことはあった。本当に本当に、わたしはそれでもったいないほどに十分なのだった。

それでもなお、自分はなぜ書くのかとたまに考える。おそろしいのかもしれない。あなたと哲学したあのあいまいな時間、水中に深く潜り、頭の中で何度もでんぐり返しをするような心持ち、ぐらぐら揺れる足場の感覚が消えてしまうことが。電車に乗っていて、建物の隙間からほんの数秒強い光が目の中に飛び込んでくるように、世界がわたしに姿を見せるあの瞬間を、忘れてしまうことが。それを書きとめてどこかに保存し、生きさせることの欲望が、わたしには確かにある。だから無欲というのはやっぱり嘘で、本当はとても欲深い。そんなことに、書きながらようやく気がついた。

このおこがましい欲望を、本になるよう後押ししてくださったみなさま。2016年にはじめてブログの記事を書き、思い出したように数ヶ月に一本更新するというのんびりしたペースであったにもかかわらず、「HAIR CATALOG.JP」にて「手のひらサイズの哲学」連載のお声がけをしてくださった茅野嗣門さん。ヘアスタイルなどの記事が並ぶ中、当たり前のように「哲学」というカテゴリでコラムの枠を準備して下さいました。そして、「晶文社スクラップブック」にて本書のタイトルにもなった「水中の哲学者たち」を連載させてくださった安藤聡さん。お二人とも、水中の奥底の、岩場のかげに隠れて縮こまっていたわたしを見つけてくださり、本当にありがとうございます。

この一冊の本をつくることに、この本を編んでくださった安藤さんはもちろん、すばらしい装丁を届けてくださった鈴木千佳子さん、直接お会いできない人も含めて、どれだけ多くのひとが関わり、助けてくださっているのかを想像します。すべての方に、この場を借りて篤く御礼申し上げます。晶文社という最高の出版社で本を出すことができたこと、わたしの人生の一番の自慢です。

帯文をくださった穂村弘さん、最果タヒさん。本当にありがとうございました。おふたりの著作、言葉、それもたった一行、たった一言のおかげで、幾度となく押し流されながらも、なんとか世界にしがみつくことができたのです。この本を手にとって、言葉をよせてくださったこと、信じられない思いです。

書けない、書けないとのたうちまわり、ひっくり返るわたしを呆れながらも笑ってくれた友人、先輩、先生、家族、ありがとうございました。帰り道にふと「そういえば、連載読みましたよ」と話しかけてくれるあなたがいるから、書きつづけることができました。

最後に、この本を手にとってくださったあなたにも、本当にありがとうございます。問いを通して、あなたに話しかけるつもりで書きました。

このめちゃくちゃで美しい世界の中で、考えつづけるために、どうか、考えつづけましょう。

２０２１年７月　永井玲衣

初出

1　水中の哲学者たち

「晶文社スクラップブック」

http://s-scrap.com/

2　手のひらサイズの哲学

「HAIR CATALOG.JP」

http://www.haircatalog.jp/

3　はい哲学科研究室です

ブログ「はい哲学科研究室です」

https://nagairei.hateblo.jp/

永井玲衣

ながい・れい

1991年、東京都生まれ。哲学研究と並行して、
学校・企業・寺社・美術館・自治体などで哲学対話を幅広く行っている。
哲学エッセイの連載なども手がける。独立メディア「Choose Life Project」や、
坂本龍一・Gotch主催のムーブメント「D2021」などでも活動。
詩と植物園と念入りな散歩が好き。

水中《すいちゅう》の哲学者《てつがくしゃ》たち

2021年 9月30日 初版
2024年10月10日 17刷

著者 永井玲衣
発行者 株式会社晶文社
東京都千代田区神田神保町1-11 〒101-0051
電話 03-3518-4940（代表）・4942（編集）
URL https://www.shobunsha.co.jp
印刷・製本 ベクトル印刷株式会社

 ISBN978-4-7949-7274-3 Printed in Japan